Universale Economica Feltrinelli

Antonio Tabucchi ha pubblicato *Piazza d'Italia* (Milano 1975), *Il piccolo naviglio* (Milano 1978), *Il gioco del rovescio* (Milano 1981), *Donna di Porto Pim* (Palermo 1983), *Notturno indiano* (Palermo 1984), *I volatili del Beato Angelico* (Palermo 1987), *Sogni di sogni* (Palermo 1992), *Gli ultimi tre giorni di Fernando Pessoa* (Palermo 1994), *Marconi, se ben mi ricordo* (Roma 1997), *La gastrite di Platone* (Palermo 1998) e, con Feltrinelli, *Piccoli equivoci senza importanza* (1985), *Il filo dell'orizzonte* (1986), *I dialoghi mancati* (1988), la nuova edizione de *Il gioco del rovescio* (1988), *Un baule pieno di gente* (1990), *L'angelo nero* (1991), *Requiem* (1992), la riedizione di *Piazza d'Italia* (1993), *Sostiene Pereira* (1994, Premio Viareggio-Repaci, Premio Campiello, Premio Scanno, Premio dei Lettori e Prix Européen Jean Monnet), *La testa perduta di Damasceno Monteiro* (1997), *Gli Zingari e il Rinascimento. Vivere da Rom a Firenze* (1999), *Si sta facendo sempre più tardi* (2001, Prix France Culture 2002), *Autobiografie altrui* (2003), *Tristano muore* (2004, miglior libro dell'anno secondo la rivista francese "Lire"), *Racconti* (2005) e *L'oca al passo. Notizie dal buio che stiamo attraversando* (2006). Ha inoltre curato l'edizione italiana dell'opera di Fernando Pessoa e ha tradotto le poesie di Carlos Drummond De Andrade (*Sentimento del mondo*, Torino 1987). Ha ricevuto il Prix Médicis Etranger e il Prix Européen de la Littérature in Francia, l'Aristeion in Grecia, il Nossack dell'Accademia Leibniz in Germania, l'Europäischer Staatspreis in Austria e il Premio Hidalgo in Spagna. Ha vinto inoltre il premio Salento 2003. Insegna all'Università di Siena. Vive soprattutto in Toscana.

ANTONIO TABUCCHI
PIAZZA D'ITALIA

Favola popolare in tre tempi,
un epilogo e un'appendice

Feltrinelli

Prima edizione Bompiani Milano 1975

© Giangiacomo Feltrinelli Editore Milano
Prima edizione ne "I Narratori" ottobre 1993
Prima edizione nell'"Universale Economica" novembre 1996
Nona edizione gennaio 2007

ISBN 978-88-07-81401-3

per la Zé, Michele, Teresa

Nota alla seconda edizione

Scrissi Piazza d'Italia *nel 1973 e lo pubblicai nel 1975. Sono passati vent'anni e mi sembra giusto ripubblicarlo, anche perché è introvabile da tempo. Lo ripubblico tale e quale come era, ripristinando il primitivo sottotitolo, al quale fu preferita la dizione "romanzo". Allora scriverlo mi fece molta compagnia. Era una torrida estate in Toscana e io dovevo aspettare il settembre. Uscì per volontà del mio amico Enrico Filippini, che ricordo con affetto, e con una generosa quarta di copertina di Cesare Segre, cui va ancora il mio pensiero grato.*

Non mi resi conto, a quel tempo, che con questo libro sarei diventato uno scrittore. Le cose prima succedono e poi ci si riflette sopra. Fa un effetto strano rileggersi dopo vent'anni. E ripubblicare un libro che fu il nostro Io di allora. Quello ero l'Io che sono oggi, mi viene da chiedermi, o un'altra persona? Non lo so, e forse non voglio saperlo. So che questo libro è le mie radici, di uomo e di scrittore. Tutto torna o niente torna. Che lo dica chi se ne intende.

Settembre 1993   A.T.

7

EPILOGO

S'è sciolto il fiocco

Quando Garibaldo, quel giorno da chiodi, si beccò la pallottola in fronte (un forellino capocchioso, nemmeno un foruncolo), mentre stramazzava nel bacinìo della piazza, proprio davanti allo Splendor, volle avere l'ultima parola. Ma invece la lingua liberò un gorgoglio squaccheroso che udirono solo i pochi che gli stavano vicino:

"Abbasso il re!"

Il sasso gli sdrucciolò di mano e rotolò fino al rigagnolo della fontanella sulla piazza. Sul viso gli rimase ghiacciato un sorriso furbesco, di accidenti a me, perché aveva fatto in tempo ad accorgersi, nel breve tragitto dal monumento alla polvere, che la nebbia della morte gli aveva confuso proprio l'ultima frase. La pallottola che gli aveva cercato la fronte non usciva da un moschetto della guardia regia: il re ormai aveva fatto fagotto e vigeva la costituzione della repubblica fondata sul lavoro. Le mani annaspanti che sciolsero il fiocco nero in due grandi nastri svolazzanti sciolsero anche, come il segnale di un sacerdote, l'assiepamento della folla, che si disperse nella luce di luglio. Garibaldo restò solo, col sorriso ironico negli occhi aperti, davanti a tutti quei caschi in fila che si guardavano reciprocamente le pistole abbassate. Asmara sopraggiunse scalza, vestita di un incredibile grembiule con due enormi fragole ricamate sulle tasche, e attraversò la piazza di corsa. Ma non poté fare altro che chiudergli gli occhi, mentre pensava che l'oroscopo l'aveva avuta vinta, a modo suo. Glielo aveva detto la Zelmira che in quelle condizioni la semola non poteva parlare chiaro. E poi nella famiglia di Garibaldo il tempo era sempre corso su fili speciali.

PRIMO TEMPO

1. *C'è ancora un po' di tempo*

L'unica cosa che Garibaldo non riusciva a comprendere della vita, era la morte. Guardava suo padre stecchito nella bara, con le braccia conserte sul vestito del matrimonio e una benda gialla che gli cresimava la fronte per raccogliere lo sgocciolìo giallo. E allora suo padre gli venne in aiuto: si mise a sedere, sfilò l'orologio dal taschino e disse:

"C'è ancora un po' di tempo".

Poi chiese un mezzo sigaro e fumando con calma voluttà tentò di fargli capire, se non cos'era la morte, cos'era la vita.

Parlarono tutta la notte, o meglio Garibaldo si limitò ad ascoltare, evitando di fare la minima obiezione per non rubargli tempo. All'alba suo padre rientrò nella morte con rassegnazione, accettò il funerale come tutti gli altri morti e prese la via del camposanto traballando sul carro di Leonida. Ma ormai Garibaldo sapeva che l'acqua che muoveva il mulino era di tutti come il grano che macinava, che le folaghe che scendevano nei paduli a novembre erano di tutti, e che le guardie regie c'erano per ammazzare chi se n'era accorto.

Di suo padre gli restò il ricordo e il nome con cui la gente, da quel giorno, cominciò a chiamarlo, sua madre per prima.

"Sarà perché al tuo vero nome, Volturno, in quattro anni non mi ci sono ancora abituata."

2. Si cambia padrone

Plinio aveva l'età in cui non si sa quanti anni si hanno, e cercava di vedere la piazza oltre l'assiepamento della gente. Aveva le tasche ricolme di palline di vetro ricavate da una collana che gli aveva regalato la signorina Cecchini, non ancora sua maestra. I giovani platani che circondavano la piazza piangevano le ultime foglie. Gli uomini appoggiarono una scala al monumento e imbracarono con le funi la toga del Granduca.

"Oooooo," tirarono gli uomini accaldandosi.

"Tutti assieme!" gridò uno grosso che pareva il mastro.

Il Granduca tonfò sullo sterrato della piazza con una nuvoletta di polvere. La gente applaudì, e la signorina Cecchini, vestita di 'bianco, seduta in tribuna accanto all'uomo con gli occhiali d'oro, agitò il fazzoletto.

Gli uomini assicurarono all'argano la statua nuova, ancora avvolta in un lenzuolo.

"Issa!" gridò quello che pareva il mastro.

I bandisti cominciarono a incrinare l'attenti, impazienti di attaccare. La signorina Cecchini scese dalla tribuna, sottobraccio al signore con gli occhiali d'oro e attraversò la piazza nel silenzio dell'attesa. Tagliato il nastro il lenzuolo scivolò a terra come una veste, la gente applaudì e la banda attaccò l'inno.

A Plinio il nuovo monumento piaceva molto di più: c'era un soldato con capelli al vento e sciabola al fianco che offriva sulle braccia una bambina a un signore maestoso coi baffi a punta. La bambina tendeva le mani tutta giuliva e sulla fascia in mezzo al petto portava il nome: Italia.

"Chi sono quelli?" chiese Plinio tirando suo padre per la manica.

"È Garibaldi che consegna l'Italia al re."

"E chi è Garibaldi?"

"È l'eroe dei due mondi."

"E chi è il re?"

"È il nuovo padrone."

3. *Borgo, soltanto*

A quei tempi, probabilmente, Borgo si chiamava ancora Borgo a. Magari Borgo alla Torre, per quella torraccia in rovina la cui unica apparente utilità era di offrire alloggio a corvi e cornacchie; o Borgo ai Paduli, per i paduli densi di cannelle poi bonificati dal fascismo con l'ordine di feste agrarie cui non partecipò nessuno; o Borgo alla Marina, perché seguitando per lo stradone polveroso si raggiungeva, ad aver le gambe buone, una marina pallida orlata di dune cespugliose dove le donne, smorzatesi le calure della piena estate, lasciavano i vestiti e si avviavano all'acqua coi braconi; o Borgo al Convento, perché lo dominava dall'alto del colle un convento decrepito in cui si venerava una Madonna del Latte, e che poi fu trasformato in ristorante dancing. Delle vecchie suore e dei loro cappelloni candidi e appuntiti avrebbe però conservato il nome.

Essere poveri, a Borgo, voleva dire tagliare cannelle di padule. Gli uomini partivano avanti giorno su carri lenti. Il paese era vago a quell'ora, con la torre indefinita che cercava la sua verità pratica nella nebbia. Il carro di guida aveva un lume sotto il mòzzo posteriore, per far strada. Non c'erano canzoni, per non mangiare aria fredda, e il cappello fino agli occhi era la nostalgia del letto. Ai paduli arrivavano col sole alto ed entravano nelle barche due uomini ciascuna, uno per tagliare e l'altro per remare, a turno. Avanzavano in circolo come battitori di animali immaginari, e ritornavano solo con le barche piene. Allora era mezzogiorno e sotto i pioppi delle rive mangiavano pane e cipolla. Poi ricominciavano, fino a sera. Arrivavano a casa a notte alta, grattando il silenzio del paese col cigolio dei carri. La domenica andavano a vendere le cannelle alla Fattoria Vecchia, che era padrona dei monti e del lago. Li riceveva un fattore corpulento e oleoso, sempre ad allentarsi la cintola che impediva l'espansione continua della pancia. Era lui che dettava i prezzi, e non tollerava discussioni.

Plinio tagliava cannelle di padule, come gli altri.

4. *Qui si fa l'Italia o si muore*

Garibaldi aveva i capelli al vento e guardava col cannocchiale. Se gli avessero detto scendi e resta di guardia finché non torniamo, Plinio sarebbe sceso dal vaporetto e a forza di volontà sarebbe rimasto ritto sull'acqua, appoggiato al fucile, a coprirgli le spalle. Ma doveva accontentarsi di pulire i fucili e di preparare le munizioni, perché era troppo bambino.

La costa della Sicilia era un filo sull'orizzonte e le camicie rosse albeggiavano.

5. Due nomi come un viaggio

"È maschio," disse la levatrice, "e di pelo rosso!"
Era già sulla porta, per andare al Comune, quando la levatrice lo richiamò.

"Ce n'è un altro. E di pelo rosso!"
I due gemelli gli vanificarono il progetto del nome. All'anagrafe non vollero Garibaldo e Garibaldo. Plinio leticò e s'infervorò, ma non ci fu verso. Allora si sedette a pensare e sintetizzò la sua avventura.

"Quarto e Volturno," dettò all'impiegato che aspettava.

6. Una stretta camicia rossa

La casa dove abitavano Plinio si ricordava di averla vista costruire a suo padre, che era un po' muratore. Quando vi era nato era quasi una capanna, con un pavimento di terra battuta e una cucina che confinava col pollaio. Poi suo padre aveva fatto un pavimento di granito e un focolare enorme, di mattoni, sotto cui indugiavano le sere d'inverno, senza trovare il coraggio di andare nelle camere fredde. Era a due piani. Lo stanzone di sopra, a tetto, serviva per far seccare l'uva e i pomodori, appesi su graticci di canne di fiume, e da stanza da letto di Plinio e di Agostino che presto aveva lasciato tutto lo spazio al fratello, perché aveva preso le febbri. Suo padre, che aveva amore per le piante, aveva piantato un limone sul davanti, a ridosso della facciata, e per quella situazione favorevole, col muro che lo proteggeva dalle intemperie, era diventato un albero gigantesco che si arrampicava fino alla grondaia. Dava limoni piccoletti e asprigni, di un profumo così intenso che ci si poteva intingere il pane, quando mancava il companatico.

Fu in quella casa che Plinio vide nascere i suoi quattro figli, anche se per i secondi due arrivò all'ultimo momento, quando Anita era già nata e il medico stava estraendo Garibaldo, arroccato in posizione podalica.

"Non ce la faccio più, bisogna che parta," dichiarò una sera.

Stavano dentro il focolare, per rintuzzare l'inverno. L'Esterina, occhi mansueti e ventre gravido, girava un tizzone con le molle.

"Mi lasci in questo stato," disse.

Entrò vento dalla cappa e smosse la cenere.

"Ho messo da parte, per lasciarti tranquilla. È tutto nel canterale. Per sei mesi bastano."

"E se ti ammazzano?"

"Non si muore anche qui?"

"E quando parti?"

"Domani."

"Ma cos'è che ti brucia?"

Plinio fece un gesto vago col braccio. "Tutto. Questa vita. I signori."

Fu una notte di preparativi, ma Plinio non voleva niente, nemmeno un fagotto. Dall'arca aveva tirato fuori la camicia rossa che ora gli stava stretta, sbottonata in vita.

"Sei ingrossato," disse l'Esterina.

Lo abbracciò sulla porta, avanti giorno. Altri partivano con lui, dai paesi oltre i paduli. Si erano passati la voce, si trovavano sullo stradone.

"Se è maschio chiamalo Garibaldo, e se no, Anita."

Gli occhi mogi lacrimarono un d'accordo.

"Purché venga solo, questa volta," disse Plinio, ed era già sul cancello, per strada.

7. Rispettosi saluti

"Bisogna amputare," disse il pizzetto del medico.
La scheggia aveva sfracellato il piede che pendeva attaccato ai tendini, come un ex voto.
"Taglia pure questi filacci," disse Plinio.
Non fu un lavoro difficile, anche se fatto alla buona, fra il fumo e la confusione della breccia. Quando ebbe stagnato i vasi il medico prese la bacinella e fece per andarsene, ma Plinio lo fermò.
"Quello è mio e lo rivoglio," disse deciso.
Attraversò Roma in barella, col suo piede in mano sotto la coperta. Ai due compagni che lo trasportavano diceva "di qua, di là" quasi che conoscesse Roma come un romano. Invece andava a fiuto, come un bracco che ha trovato la pista. Arrivarono in vista della cupola che il sole ci tramontava dietro. Plinio aveva un sorriso di attesa sul viso di calcina. Volle essere portato, mentre i due davano ormai segni di impazienza, fin sotto le mura dei giardini vaticani. Allora tirò fuori il suo piede di sotto la coperta e con un gitto forte lo fece frullare al di là come un sasso. Poi si fece portare a un botteghino, comprò una veduta di San Pietro e la indirizzò alla sua Ester.
"Ho preso a calci Pio IX. Rispettosi saluti tuo Plinio."

8. Si vuota un posto a tavola

Garibaldo guardava morire suo padre. Plinio era grosso come una chiesa e disteso sulla tavola di cucina aveva una collina di pancia. Garibaldo, alto cinque anni, poteva vedere solo lo stinco monco che si affacciava dal gambale destro. Un braccio, nell'agonia, oscillava nel vuoto, sfiorando il pavimento col pugno rattrappito. Sua madre singhiozzava in camera e Volturno sudava nel canto del fuoco. Non era possibile che suo padre, che a mezzogiorno stava seduto a tavola parlando a alta voce, ora stesse disteso respirando a fatica. Senz'altro, dopo essersi riposato, si sarebbe alzato, avrebbe cacciato fuori la pallottola dalla pancia gonfiando lo stomaco e l'avrebbe schiacciata fra due dita come una zanzara.

Invece, quando il giorno dopo si alzò, suo padre non c'era più e il suo posto a tavola restò vuoto per sempre.

9. *Figure sulla cenere*

Volturno cresceva nell'immobilità e nel silenzio, come se conoscesse l'altra parte dei gesti. Passava le giornate in un angolo che si era formato in fondo al focolare con delle assi di legno, quasi un recinto. Di lì non voleva uscire: esigeva, con ostinato mutismo, che sua madre gli portasse il cibo. Vestito con una tuta di fustagno, con gli occhi socchiusi, seguiva la vita della famiglia in cucina. Non parlava, come se sapesse, ma non volesse. Quarto, pur nell'esuberante vitalità dei suoi giochi, non voleva lasciarlo. Giocava davanti al fratello come se facesse anche la sua parte, gli raccontava storie che Volturno ascoltava a occhi socchiusi, gli portava regali di sassi brillanti e bottoni. Pareva che lui solo sapesse il segreto dell'immobilità e del mutismo di Volturno, e per questo non lo abbandonasse. Era un attaccamento fisiologico, di gemello, di carne divisa: lontano da lui appariva inquieto e turbato, sobbalzava all'improvviso, lo scuotevano insoliti singhiozzi, temeva il buio. Gli bastava stargli accanto per ritrovare la sua esuberanza: si esibiva in giochi d'audacia, lo trasportavano impeti generosi.

La sera che nacquero Garibaldo e Anita, mentre il dottore e la levatrice lavoravano coi ferri in camera da letto e suo padre ticchettava in cucina, Volturno disse le sue prime parole. Aveva passato la giornata in una languida malinconia, piangendo in silenzio lacrime avare e resistendo stoicamente alla sua terzana. Poi, nel pomeriggio, lo scosse una febbre violenta, un brivido costante che gli disegnava perline di sudore sulle ciglia rosse che orlavano gli occhi chiari. Plinio, che si avvicinò per consolarlo, non seppe cosa rispondere quando la voce vergine di Volturno gli confidò:

"Ho paura. Ho paura di tutto".

La famiglia accettò tacitamente la spiegazione e Volturno continuò a crescere acquattato nel buio della sua prigione, rifiutando il mondo, disegnando figure sulla cenere con un bastoncino.

10. *Una lapide*

Pochi soldi, pochissimi, aveva messo da parte Esterina. E li spese tutti nella lapide che volle di travertino con la scritta, sotto il nome:

> — GARIBALDINO —
> COMBATTÉ A ROMA E A CALATAFIMI
> MORÌ A TRENT'ANNI
> PER UNA FOLAGA

11. *Infanzia*

Garibaldo cresceva bello e esuberante come Quarto, di cui pareva il gemello, per un disguido della natura. Aveva umori improvvisi, cercava la compagnia, credeva solo in se stesso, non si lasciava toccare, quando vedeva le guardie diventava pallido e tremava mordendosi le labbra. Anita, invece, aveva preso da Volturno i modi silenziosi e schivi, la bruttezza degli occhi e il pallore del viso; amava la cenere e l'ombra, guardava punti lontani, disegnava sulla cenere.

La domenica pomeriggio Esterina li portava al camposanto. Volturno andava solo d'inverno, nei brevi crepuscoli, quando i pomeriggi decidui lo nascondevano alla gente. Si mettevano in fila davanti alla tomba, in piedi, quasi burberi. Non è che pregassero, chiacchieravano con Plinio.

"Be', come va?" diceva l'Esterina.

I cipressi fremevano, passava un alito di vento, se era d'estate una lucertola correva sul travertino.

"Noi non ci lamentiamo."

Andavano via in fila, con un segno di croce a tre punte. E così, per tutta l'infanzia.

12. *La paura altrui*

Volturno calamitava paure. Se ne accorse l'Esterina la sera che Plinio rantolava sulla tavola, con la pancia traforata dalle pallottole del guardiacaccia. Si sorprese a pensare ai panni stesi sull'aia e ai nuvoloni che si addensavano spinti dalle raffiche di vento, e nella sua semplicità convenne che un immenso dolore era quel senso di vuoto, quello stordimento che non le lasciava pensare altro che al temporale imminente. Ma appena uscì sull'aia una morsa d'angoscia le attanagliò lo stomaco. Un'angoscia feroce e liberata, che non le lasciò neppure il tempo di reagire: era dolore, affetto ferito, pietà, disgusto, paura del presente e del futuro. Ritornò barcollando nella cucina scura dove Volturno, mimetizzato con la cenere, sudava le sue incomprensibili terzane, e subito calò dentro di lei il vuoto artificiale di un dolore rubato. Allora capì il segreto di Volturno, le sue febbri, il suo sudore e il suo confino, e corse in camera per piangere da sola, come era suo dovere.

13. *Gli occhi belli della fame*

"Mamma, oggi non c'è niente da mangiare."
"Fa bene agli occhi," rispondeva l'Esterina.
Per lo spesso niente crebbero con gli occhi bellissimi, grandi d'acqua.

14. *Il Mal del Tempo*

Sulla soglia dell'adolescenza Volturno dichiarò una nuova malattia. Rispondeva all'improvviso a una domanda che gli avevano fatto il giorno prima, si ricordava fatti non ancora successi, soffriva due volte la stessa delusione. Parevano scherzetti e fole innocenti, nessuno ci dava peso. Ma il giorno in cui sostenne di ricordarsi perfettamente che Quarto era morto in Africa in un fortino assediato, l'Esterina pensò che la cosa stava assumendo delle dimensioni preoccupanti e si recò a far visita alla Zelmira, che sapeva di streghe.
La Zelmira bruciò l'olio in una scodella, lo raccol-

se con la stoppa e lo versò su una carta gialla. L'olio si
divise in quattro rivoli, a croce.

"È poeta," disse la Zelmira. "Ha il Mal del Tempo."

"È molto grave?" chiese l'Esterina.

"Macché."

"Ma si può guarire?"

"Gli ci vorrebbe una donna," disse la Zelmira, "e
magari un figlio. Ma anche così non ti posso garantire
niente."

15. *Esperia*

Passarono inverni vuoti, di vento per le strade e
dense malinconie. Quarto, che lavorava alle scuderie
della Fattoria Vecchia, manteneva la famiglia. Così
giovane era già il migliore intenditore di cavalli della
zona: conosceva le razze e gli incroci, s'intendeva di
malattie, guadagnava i soldi che voleva. Lo si vedeva
passare su un cavallo baio che aveva comprato a ri-
scatto, coi capelli al vento e il frustino nella sinistra, e
pareva un signore. Gli occhi delle ragazze lo seguiva-
no con vogliosa nostalgia. Ma non era di nessuna.
Aveva una ragazza alla Fattoria, un'altra in paese,
un'altra oltre i paduli. A tutte aveva detto:

"Ci sposeremo a marzo".

Volturno era cresciuto bianco e esile, nella sua prigione d'ombra infantile. I capelli fiammeggianti sul viso di neve, traversava in fretta il paese, passava giornate al fiume. La sera tornava alla sua placenta di cenere,
come a un vizio antico, per scrivere segreti. Trasferiva
le sue paure, che già la cenere aveva raccolto, in minu-
scoli scarabocchi fitti e illeggibili: pagine e pagine che
prima di andare a letto lasciava cadere sul fuoco come

farfalle. Quando la malinconia era più urgente abbandonava i fogli segreti e raccontava le sue storie ad alta voce, anche se nessuno riusciva a decifrarle, perché del Mal del Tempo gli era rimasto l'uso di invertire i fatti e così raccontava partendo dalla fine e risalendo al principio o mescolando caoticamente le storie più diverse. Chiamava i fratelli con nomi capovolti: Odlabirag, Garibaldo; Otrauq, Quarto; a Anita il nome incontrario con cui la chiamava restò per sempre, perché bello e facile: Atina.

La domenica, con una camicia candida che alimentava il pallore del volto e il fulvo dei capelli, faceva a piedi tutti i chilometri che separavano dalla spiaggia per vedere le barche. Fu lì che conobbe Esperia e attraverso le reti che lei riparava sui graticci le raccontò la sua languida vita e sfogliò gli strati concentrici delle sue paure. La portò a casa all'entrar di maggio, e fecero festa.

Esperia guardava le persone come se continuasse a guardare il mare attraverso le sue reti.

"Non trovate che i prati mancano di celeste?"

16. *Per gioco*

Veniva tutte le domeniche. Volturno la riaccompagnava a casa raccontandole storie che finivano dall'inizio.

Quel giorno che passò Quarto e si affacciò sulla soglia senza scendere dal baio, Volturno sentì una paura nuova, una nostalgia postuma e irrimediabile.

"Vieni Esperia, che ti porto a spasso!"

Esperia, acquatica, temeva gli animali terrestri.

"Ma è per gioco!"

La tirò su di peso e mentre partivano al galoppo lei gli cinse la vita con un braccio per non cadere.

Quando tornarono, rossi e spettinati, si erano fidanzati e si sarebbero sposati a marzo. Volturno fece la più grande sudata della sua vita, sgocciolando angosce sulla cenere. Ricominciò a rispondere a domande fattegli mesi prima e salutò sua madre, partendo per una regione lontana, senza muoversi dal canto del fuoco. Disse che sudava il dolore di Garibaldo, la paura di Esterina e il futuro eroismo di Quarto.

17. *Come suo padre*

La prima lettera di Quarto era rovente d'amore e di deserti.

Com'era bello Quarto che partiva tirando baci sulla punta delle dita! Volturno pareva che volesse ripararsi nello zaino che portava a spalle. Diventarono due soldatini di carta, in fondo allo stradone.

L'Africa aveva chiesto di loro attraverso il procaccia una mattina di pioggia. Garibaldo tenne fede al suo nome.

"Io non ci vado a morire per questi stronzi che stanno in panciolle," disse la sera a cena.

Salì in camera, si distese sul letto, caricò lo schioppo e se lo puntò sul piede destro. L'Esterina, alcuni mesi dopo, facendo le pulizie di Pasqua, trovò un dito mignolo in cima all'armadio, ridotto a un bruco grinzoso.

18. *Africa*

Passò uno stillicidio di mesi. Esperia veniva la domenica per leggere alla famiglia le lettere di Quarto.

Cara Esperia,

qui ci sono tramonti come ferite, la notte ti penso così forte che quasi ti tocco. L'Africa è così grande che pare astratta come una geometria immaginata. Ti ricordi di me o mi stai dimenticando? Non volermi troppo bene, devi essere prudente. Non si sa mai come sarà il domani.

Tuo Quarto

"Ma come parla?" gemeva l'Esterina. "L'Africa me lo ha cambiato. Ma quando tornerà sarà come prima, ritroverà la sua allegria, ti riporterà in giro a cavallo."

19. *Beduino*

Volturno era scappato coi beduini. Lo scrisse Quarto in una lettera secca e breve, prima che arrivasse la notifica governativa della diserzione. Si era unito a una carovana diretta al sud della Libia, che portava armi e alcole. Aveva perso la testa per una mora velata e acre che gli acquetava i terrori nella libidine. Era scappato di notte lasciando al fratello un bigliettino di saluto dove pregava che lo perdonassero e lo dimenticassero.

L'Esterina lesse la lettera col groppo in gola e la sera mise un lumino alla finestra.

20. *Reti lunghissime di distrazione*

"Perché non scrive, perché non risponde?"
Esperia aveva negli occhi inquiete burrasche. Pas-

savano domeniche tacite, anticamere di altre domeniche.

"Vedrai che scrive quest'altra settimana," diceva l'Esterina.

Gli occhi di Esperia, sfogati di pianto, erano una bonaccia plumbea. Si portava gomitoli di refe e gli uncinetti e tesseva reti di distrazione, larghe un palmo e lunghe diecine di metri, perfettamente inutili, che poi dimenticava sulla tavola di cucina. Garibaldo la guardava con adolescenza, scoprendo in sé abissi senza fondo.

21. *Improvvisamente troppo bella*

L'Esterina si accorse che sua figlia era bellissima solo il giorno in cui Atina la chiamò per essere aiutata nella prima mestruazione. Era a letto, con le gambe divaricate, e guardava terrorizzata la rosa di sangue che si allargava sulle lenzuola. Esterina l'abbracciò e la rassicurò dicendole che era successo quello di cui le aveva parlato: purtroppo si diventava donne senza preavviso. La scoprì per aiutarla e la trovò donna. Fino al giorno prima era stata una bambina bruttissima, volturnina e taciturna, con gli occhi di un colore indefinito che solo nella pubertà dichiararono il celeste. Camminava in punta di piedi, reprimeva le malinconie e non confessava le paure, come aveva fatto Volturno. Sognava di diventare monaca per nascondere i capelli troppo rossi sotto quei cappelloni candidi e protettivi; per l'umida oscurità del convento; per poter camminare sulla tonaca senza aver bisogno dei piedi. Aveva detto a sua madre:

"Voglio farmi monaca".

"Le ragazze piangono con un occhio, le maritate

con due e le monache con quattro," aveva risposto l'Esterina.

"Ma io vado per desiderio, non per infelicità," aveva ribattuto Atina.

Il mattino in cui la trovò nella pozza di sangue della sua pubertà e turbata dalla troppa bellezza scoprì gli occhi diventati celesti in una notte, la fiamma dei capelli e la pelle candida come lenzuola, l'Esterina l'assecondò per la prima volta nell'antico desiderio.

"Forse è meglio che tu vada monaca," disse. "Sei troppo bella, ti succederà qualche disgrazia."

Atina non si abituò mai all'inaspettata bellezza. Terrorizzata dal mutato aspetto vestiva gonne lunghissime, nascondeva i capelli in una vecchia cuffia, si incipriava di cenere per ingrigire il candore del viso, sfuggiva i coetanei. Aspettava l'estate, che venisse a passare le vacanze dal seminario Ottorino, il figlio del fattore, con la tonaca acerba già sporca di terra il primo giorno di campagna, col quale costruiva altarini di fiori e di cocci di vetro.

22. *Una croce di ferro*

Quando Quarto tornò nella cassetta piombata l'Esterina firmò la ricevuta alle autorità, scansò la banda pronta all'inno, si guardò bene dallo stringere una mano, ignorò un saluto militare. Si issò la cassetta sulla testa e se la portò a casa come un bucato. Era foderata con un panno tricolore e portava stampigliato il nome di un lontano porto di arrivo: Brindisi. A tracolla della cassetta c'era una bisaccia di tela grigioverde con la piastrina d'ordinanza e le lettere d'amore di Esperia. In mezzo al panno tricolore c'era appuntata la croce di guerra per l'atto compiuto.

A casa, la sera, l'Esterina lesse la motivazione davanti a Garibaldo, Atina e Esperia. Quarto si era offerto per una missione che lo sapeva morto fin dapprincipio e la croce di guerra gliela avevano appuntata sul petto prima che partisse, quasi alla memoria.

Durante la notte l'Esterina si alzò, scese in cucina e ruppe i piombi. Di fronte ai resti del figlio, nonostante il lume di candela e l'emozione, non ebbe esitazioni. Svegliò Garibaldo e lo portò giù.

"È Volturno," disse. "Quel matto di Volturno."

A Esperia, naturalmente, non lo dissero mai. Le dettero la croce di ferro assieme alla quale prese a arrugginire, mentre le sue visite si facevano sempre più brevi.

23. *Vocazione*

Del bracconiere Garibaldo aveva l'istinto e i sensi. Fiutava l'aria per riconoscere il passaggio dei cinghiali e la vicinanza del guardiacaccia, forava la notte con gli occhi gatteschi, dormiva nei cespugli come nel letto. L'Esterina temeva il passato futuro.

"Non sono come mio padre," diceva Garibaldo, "il mio piede funziona."

Corto e rattrappito il piede era infatti agilissimo, quasi una terza mano. E era un campanello d'allarme. Bastava ci fosse una guardia nel raggio di cento metri che il piede gli esplodeva di dolore come quando si era sparato. Sapeva che non lo avrebbero mai preso, perché il piede glielo avrebbe detto in tempo. Così quella notte di luna che scendeva al laghetto della macchia per sorprendere il cinghiale assetato, il piede gli comunicò che il guardiacaccia era appostato per sorprenderlo, così come aveva crivellato suo padre. E allora si acquattò dietro un tronco lungo il sentiero, col fucile alzato sulle braccia per le canne, finché il guardiacaccia non uscì fuori curioso e pavido, percorse il sentiero erboso e sporse il collo in perlustrazione oltre il tronco del pino. E in quel momento le braccia nascoste scesero con furore, rese di legno dal formicolio. Fu un rumore sordo, come un tonfo nell'acqua, e il guardiacaccia si sciolse a terra come un burattino dai fili tagliati.

24. *La vita di sant'Orsola*

Ottorino era un ragazzo largo, senza essere robusto, di una grassezza quieta e pallida, seminarile, con mani timide e impacciate, avvezze ai grani del rosario e ai vizi segreti. Sognava di diventare diacono e aveva la passione degli addobbi e delle processioni. Sapeva costruire coi fiori cuscinetti e tappetini ricamati di erboree lodi a sant'Orsola, la cui vita aveva scelto per meditare quell'estate, prima di andare in vacanza a Borgo. Ma fu la prima estate in cui non riuscì a concentrarsi sulla vita dei santi. Per il troppo caldo, come ebbe a dirgli con bonomia il prefetto che lo passò a visitare, fermandosi a cena alla Fattoria, nell'annuale giro di conforto ai seminaristi di fronte alle tentazioni mondane.

Era infatti un caldo diabolico. Nelle campagne bruciavano le stoppie, e il cimitero, che dalla Fattoria pareva a due passi, la notte si incendiava di fuochi fatui che Ottorino credeva anime in pena a ribollire nella penitenza. Dalla sua finestra, sudando nella tonaca che per consiglio del prefetto indossava quando lo assalivano le tentazioni della carne, misurava la stanza a passi annoiati meditando su sant'Orsola. Ottorino aveva una visione tragica della vita e piangeva volentieri immaginandosi martire cristiano sbranato dalle fiere nel circo massimo. Il Cesare gli aveva detto: "Se rinnegherai la tua fede avrai salva la vita". "Mai," aveva risposto Ottorino, "la mia vera vita è la morte!"

Ma quell'estate cominciò ad assillarlo un sogno monotono e sordido che lo lasciava spossato e avvilito. Il Cesare gli parlava in un anfiteatro deserto gridando dalla tribuna imperiale, e pareva un nano isterico. La voce, che rimbombava con un'eco assurdamente reiterata, assomigliava in maniera strana alla voce adenoidea del prefetto: "Se rinnegherai la tua fede avrai salva la vita". Ottorino avrebbe voluto rispondere una frase fiera, ma una debolezza viscida gli ammollava i polsi e le ginocchia. La voce si rifiutava di ubbidirgli, e quando finalmente riusciva a liberare una frase, gridava con profondo disgusto: "Abiuro, abiuro!".

E allora il Cesare scoppiava in una grande risata. Non era Nerone, era proprio il prefetto. E il circo cominciava a riempirsi di gente: visi e visi che lo fissavano con disprezzo. Si apriva una grata in fondo all'arena e avanzavano le fauci spalancate di una fiera. Ottorino nascondeva la testa fra le mani e chiedeva perdono a sant'Orsola di tanta codardia. Si svegliava di soprassalto.

Si confidò con Atina, organizzando una processione a due fino al fiume. Ottorino, davanti, reggeva uno scaldino di latta trasformato in turibolo in cui bruciavano due pietrine d'incenso che si era portato dal seminario. Atina lo seguiva rispondendo alle litanie.

"*Consolatrix afflictorum.*"

"*Ora pro nobis.*"

"*Refugium peccatorum.*"

"*Ora pro nobis.*"

"Atina," disse Ottorino interrompendo le preci,

"non riesco proprio a concentrarmi su sant'Orsola. Anche stanotte sono stato due ore in meditazione senza concludere niente."

Atina non rispose.

"È che io penso a sant'Orsola e ti vedo te. Sant'Orsola ha i tuoi occhi e i tuoi capelli."

Quel pomeriggio fecero assieme il bagno nel fiume. Faceva un caldo. Ottorino si tolse la tonaca e la stese sulle canne ad asciugare, perché si era inzaccherata di fango all'orlo. Da quel pomeriggio l'estate passò a precipizio, crollando giorno dopo giorno. Il primo temporale sorprese Ottorino per la sua precocità, ma si era già alla fine di settembre. Atina gli aveva detto di essere incinta e sant'Orsola si era completamente dileguata dalle sue meditazioni.

25. *Parigi, cieli bigi*

"È campato," scrisse l'Esterina, "ha la pelle dura."

A Garibaldo venne la rabbia postuma dell'inutile fuga a precipizio: la notte agitata in casa, il fagotto ammassato alla rinfusa, la piazza deserta contornata lungo i muri, lo stradone livido d'alba.

"È già passato un anno, non ti possono far niente, magari non ti ha neppure riconosciuto."

Ma Garibaldo rispose:

"È meglio essere prudenti. Mi trovo bene, lavoro in una fabbrica di tessuti, mangio due volte al giorno. No, è meglio lasciar passare un po' di tempo. Ma qui il cielo è bigio, mica come a casa, il sole non me lo ricordo più, è andato in pensione a ottobre, e ricordami a Esperia, che quando torno ci vado a parlare".

L'Esterina invece andò a parlare con la Zelmira perché le era venuto un dubbio.

"Avrà il male di Volturno?"

"Chissà," rispose la Zelmira. "È troppo lontano per poterlo dire."

L'Esterina si struggeva di solitudine. La domenica andava a cercare la compagnia di Plinio e di Volturno, che con gli ultimi risparmi aveva fatto trasferire in due loculi attigui; si portava le lettere di Garibaldo e le leggeva a bassa voce finché non veniva il guardiano a dire che chiudeva, se ci voleva dormire fatti suoi. A casa trovava Esperia venuta con regali marini. Non voleva più fare reti: le aveva abbandonate sui graticci, con falle mostruose che gli uccelli ingrossavano giorno per giorno, beccando gli insetti che si annidavano fra le alghe secche e i fili. Avrebbe desiderato scendere in mare rinchiusa in una conchiglia di ricordi, e campare di scogli nel buio acquatico. L'Esterina tentava di dirle che era ancora giovane, che era stoltezza inseguire disperatamente il passato; ma lei faceva gesti nell'aria e batteva colpetti sulla tavola come per dire che aveva un rompicapo da risolvere, e ricordava solo per quello. Quando avesse sciolto il passato allora avrebbe pensato al presente. E così ogni domenica, ogni anno, mentre Garibaldo la ricordava in ogni lettera senza decidersi a tornare.

"Tua sorella è andata monaca per infelicità, non per desiderio," scrisse infine l'Esterina; "te l'ho sempre taciuto per pietà, ma ora bisogna che te lo dica, visto che non ti decidi a tornare."

26. Il meno brutto dei tre re magi

Arroccato dietro le carte della sua scrivania suo padre aveva ascoltato tutto senza fiatare. Poi si alzò, gli andò incontro con noncuranza e gli mollò un manrovescio che lo fece traballare.

"Perché mi picchi?" disse Ottorino, "non ne hai il diritto."

Suo padre l'afferrò per il colletto e gli dette un altro manrovescio. Poi uscì sull'aia e attaccò il calessino veloce. Lo caricò quasi di peso, schioccando la frusta per incitare il cavallo.

"Dove mi porti?" soffiò Ottorino asciugandosi il sangue dal naso.

"Ti vai a confessare da don Milvio, e poi riparti subito domattina. Lo hai detto a qualcuno?"

"No," soffiò Ottorino, "lo sappiamo solo noi."

"Allora si fa ancora in tempo," disse suo padre.

Don Milvio non dormiva ancora. Stava trafficando in canonica per costruire una trappola multipla per topi seguendo le istruzioni da un manuale di idraulica su cui aveva studiato l'ingegneria prima che lo cogliesse la vocazione religiosa. Sentì il calesse che si fermava sotto la finestra e si rivestì in fretta, perché a quell'ora poteva trattarsi solo di un'estrema unzione. Prese la cassettina per il viatico e indossò la stola e aprì la porta. Il calesse, con una grossa sagoma a bordo, era fermo sotto il campanile. Gli vennero incontro due spalle singhiozzanti.

"Sei tu," disse don Milvio.

"Mi devo confessare," sussurrò Ottorino.

Don Milvio lo fece entrare nell'atrio, una sala fresca e bassa che prima era stata cantina.

"A quest'ora," disse don Milvio. "Non potevi aspettare domattina?"

Ottorino fece cenno di sì, e poi di no, e si mise a sedere su una panca che ospitava due vasi da fiori senza fiori.

"In questo paese non si confessa mai nessuno,"

brontolò don Milvio, "e quando qualcuno si decide viene a mezzanotte."

Ottorino si tamponava il naso con la pezzola.

"Ho pensato più a Anita che a sant'Orsola," disse tutto d'un fiato.

"Hai buon gusto," disse don Milvio che conosceva le debolezze della carne.

Con l'inaspettato conforto Ottorino riprese coraggio.

"Mio padre mi ha picchiato," soffiò reprimendo un singhiozzo.

"È un mangiaostie," disse don Milvio, "non sa cos'è la carità."

"Anita è incinta di tre mesi," mormorò Ottorino.

Don Milvio si alzò e per l'emozione lo prese un nodo di tosse. Cercò di non lasciarsi trasportare né dall'ira né dalla troppa carità, le sue due maggiori debolezze.

"Cosa devo fare?" disse Ottorino con angustia.

Don Milvio pensava a san Girolamo che aveva mortificato la carne mangiando cavallette, e più che dall'implorazione di Ottorino fu riscosso dalla pendola che suonava dodici colpi.

"Se entrambi siete d'accordo sarebbe bene che vi sposassi," disse serenamente. "Ora vai a letto e pensaci su."

Ottorino si alzò liberato da un grande peso, si fece il cenno della croce e andò verso il calesse con passo deciso.

Si impiccò all'alba a una trave di camera sua, mentre suo padre attaccava il calesse grande per riportarlo in seminario. Ad Anita non lasciò neanche un biglietto, nella fretta d'impiccarsi, e poi non sapeva che dirle. Però il viso di lei fu l'ultima immagine del mondo che ebbe davanti agli occhi, mentre cercava disperatamente di raccomandarsi a sant'Orsola.

Anita partorì un bambino congestionato ma grassottello, nonostante fosse settimino, e non ci fu verso di farglielo vedere. L'Esterina gli mise nome Melchiorre, perché nacque il sei di gennaio, e fra i nomi dei tre re magi le pareva il meno brutto; e cominciava già ad affezionarcisi quando il fattore lo pretese. Anita andò monaca vincenzina, di autoclausura, e non uscì più dal convento, non la vide più nessuno. Si seppellì nell'ombra di quelle mura rifiutando le visite, non rispondendo alle lettere, cercando di dimenticare tutto e tutti. Non rinunciò però al nome con cui l'aveva chiamata Volturno, come seppe l'Esterina dalla superiora quando tentò la prima visita:

"Suor Atina preferisce non vedervi, per il momento".

Preferì non vedere nessuno per un momento che durò cinquantasei anni, finché non morì prosciugata dal tempo, senza aver mai saputo che c'erano state due guerre, la sera in cui gli americani entravano rumorosamente in Borgo, accolti da un paese senza finestre.

27. *Dieci anni per un orologio*

Nelle lettere, di tutto quello che segue, Garibaldo non disse mai niente: alcune cose, poche, trovò il modo di raccontarle a suo figlio prima di morire.

Saint-Malo, con un tetto di nebbia che i velieri foravano coi pennoni; il metallo invernale dell'Atlantico; il siciliano Carmine che si ripentì a metà viaggio e si buttò da poppa per tornare indietro; la folla scura degli emigranti; il porto di Nuova York che li abbracciò di corridoi d'acqua. E quell'immensa nazione, dove tutti erano stranieri. "Ferrovie dell'Ovest," chiese senza aspettare consenso un collocatore che parlava ancora napoletano. E cominciò il viaggio attraverso un oceano d'erba solcato da pietrificati velieri rossastri. Notti di viaggio su un treno che spruzzava inchiostro come una seppia, con uomini che parevano neri di fumo ma lo erano per natura, biondi vagabondi senza passato, veloci città di legno che confinavano col nulla. Finché sopraggiunse quel cantiere nomade che costruiva la ferrovia per inseguirla.

Tutto questo Garibaldo lo raccontò a suo figlio, ma molte altre cose le tacque per mancanza di tempo. Non parlò della lunga marcia, del raduno degli scioperanti, dell'assalto al treno carico di poliziotti, di Lisa dalle lunghe trecce con la quale visse per tre anni senza aver mai capito che lingua parlasse, comunicando con cenni, ammicchi e disegnini. Quei dopocena lunghissimi, in virtù della cena consumata all'imbrunire, di quei tre anni pacati, gli unici della sua lunga lontananza, in cui si era fatto agricoltore: una fattoria con due vacche e dieci pecore e una casa di legno dirimpetto all'orizzonte. Lisa, che passava ore e ore a giuntare pezzetti di stoffe disparate per farne di tutto (coperte, tende, paralumi, tovaglie), ammiccava l'ultima lettera arrivata da Borgo sul mucchietto di lettere vecchie, e chiedeva con gli occhi che Garibaldo gliela leggesse. Garibaldo spiegava il foglio e leggeva per lei parole incomprensibili. E così ogni sera, con la stessa lettera, finché non arrivava una lettera nuova. Una volta Lisa lo accolse sulla porta ridendo.

"Io sto bene e così spero sia di te."

Garibaldo ebbe un tuffo al cuore e sentì che diventava pallido.

"Hai imparato l'italiano!"

Ma Lisa continuò:

"Piesse anche l'Esperia manda tanti saluti e queste suole di refe che ha fatto all'uncinetto molto indicate per chi suda nei piedi come te".

E Garibaldo si accorse che era il finale dell'ultima lettera che aveva dovuto leggere per più di sessanta sere, perché c'era stato un disguido postale e una lettera aveva perso il transatlantico.

Quando Garibaldo rispondeva scriveva a alta voce per fare compagnia fonica a Lisa. Finiva sempre con la stessa formula, che ormai anche Lisa sapeva a memoria e che voleva dettare, con infantile soddisfazione e la lingua che si rifiutava a fare le ti:

"Lasciamo passare un po' di tempo, perché la cosa è troppo fresca e se torno magari mi arrestano perché chissà se quel bove non mi ha riconosciuto, e ricordami all'Esperia che quando torno ci vado a parlare".

Finché l'Esterina rispose:

"La cosa puzza, altro che fresca. Qui nessuno se la ricorda più, e il bove è morto di un accidente. Magari costì in America, con la lingua che parli, il tempo sarà differente. Ma qui sono passati nove anni, e siamo entrati nel decimo. L'Esperia campa di granchi e io mi sono così ritirata che non mi vedo dall'estate passata, perché non arrivo più allo specchio. Di questo passo mi restano pochi centimetri di vita e se ti gingilli ancora un po' quando torni sarò evaporata del tutto".

Allora Garibaldo salutò Lisa, prese i suoi risparmi e salì su un treno. Dopo quattordici giorni entrò dal migliore orologiaio di Boston e comprò il migliore orologio di tutto il negozio, lo assicurò al taschino con una catenella d'acciaio e promise a se stesso che lo avrebbe guardato sempre per il resto della vita. Poi si sedette a un caffè, fece i suoi calcoli e scrisse a sua madre che sarebbe tornato fra settecentotrenta ore. Naturalmente arrivò assieme alla lettera, che aveva viaggiato sullo stesso bastimento.

28. *Per amore retroattivo*

Appena Garibaldo tornò andò a sciogliere il passato di Esperia. Lo fece come gli dettava la sua natura, nonostante il nuovissimo orologio: con l'impeto di un'adolescenza incongruamente recente. Per raggiungere la casa marina fece a piedi la stessa strada che avevano percorso Quarto e Volturno tutte le domeniche. Era maggio e le ginestre ingiallivano le dune. Le reti, abbandonate sui graticci, erano diventate vegetali per l'uso alla terra; vi nascevano campanelle rosate, carnicine, quasi ombelichi. Entrò senza bussare, e la trovò in un angolo che arrugginiva insieme con la croce di guerra che pendeva da un chiodo del muro. Esperia, come lo vide sulla soglia, capì perché era venuto.

"Ti ho sempre voluto bene," disse Garibaldo fissando per terra per evitare lo sguardo di lei che gli frugava il viso.

"Sono troppo più vecchia di te," mormorò Esperia.

"È il salmastro che ti arrugginisce," disse Garibaldo.

La violentò dolcemente fra le reti e le funi marce. Gli ombelichi vegetali minacciavano di prendere possesso della casa dalla finestra.

"Possibile?" disse Garibaldo.

"Non ho mai avuto animo di farlo, con tuo fratello," rispose sospirando Esperia.

Garibaldo l'abbracciò e non parlò più.

"Ecco cos'era," gemette Esperia quando si sciolse

dall'abbraccio, e gli occhi le luccicavano per il rompicapo risolto, "sbagliai tutto. Volevo bene a Volturno."

Poi si mise al collo la croce di guerra e senza che
lui la chiamasse uscì sul sentiero, con rassegnazione.
Chiuse la porta e buttò la chiave in mare.

"Ci sposiamo subito," disse Garibaldo avviandosi.

Si sposarono una settimana dopo in un frettoloso
silenzio punteggiato dai mormorii d'approvazione del-
l'Esterina cui era rimasta solo la voce, e che volle man-
tenere il suo segreto fino in fondo, anche nell'assedio
della morte. La sera che era in agonia chiamò i figli al
capezzale per accomiatarsi. Respirava a fatica, la voce
era scarsa ma limpida.

"Voglio essere sepolta accanto a Plinio e a Quarto."

"Volturno," corresse Esperia. E le sorrise con un
sorriso complice e rassicurante come per dire non vi
preoccupate, so già tutto.

Garibaldo la interrogò con gli occhi.

"È Quarto che è scappato coi beduini," disse
Esperia. "Non può essere che così. L'ho sempre saputo e non l'avevo mai capito."

Aveva pensato a Volturno così intensamente che a
febbraio ebbe un figlio da lui dopo tanto tempo che
era morto. Aveva lo stesso viso candido e i capelli di
fiamma e gli occhi bianchi e lontani, pieni di parole
segrete. Poi, subito dopo, diventò sterile. Invecchiò da
un giorno all'altro, senza drammi e rossori, si fece pic-
cina, si chiuse in un guscio di nero. Garibaldo chiamò
il figlio Volturno, ed Esperia non seppe mai se per
amore fraterno o per dispetto, o per tutte e due le cose. Ma lei non ebbe mai il coraggio di usare quel nome
e chiamò il figlio con un *tu* maiuscolo, elusivo e pavido. Quando Garibaldo morì, con la testa aperta come
un popone dai bastoni della guardia regia, Volturno si

chiamò Garibaldo e cessò finalmente l'appellativo pronominale.

29. *La macchina idraulica dell'uguaglianza*

Per di più era un inverno senza clemenza, il fuoco di cannelle avvampava molto ma scaldava poco e durava meno, e la legna costava troppo. Una neve arcigna e tenacissima, smerigliata, assediava Borgo da una settimana. Il campanile taceva. Il sagrestano fuggiva le campane, perché le corde erano coltelli e don Milvio, per freddo, aveva rinunciato ad alzare il Santissimo alle panche, che senz'altro non se ne importava. Avrebbe rinunciato volentieri anche a quei tre viatici richiesti per superstizione e con riluttanza, ma non si poteva dir di no. Con uno scaldino sotto la tonaca passava le ore appicciato ai vetri della canonica, strusciando con la manica sul fiato condensato per farsi uno spiraglio di visuale. Guardava i rari tabarri e pensava all'idraulica e a san Girolamo, che almeno aveva mangiato le cavallette per libera scelta. Don Milvio aveva capito che la miscredenza dei ricchi ha un altro valore della miscredenza dei poveri: per i primi è un lusso, per i secondi è disperazione. Per questo passava le ore a progettare una macchina idraulica dell'uguaglianza. Consisteva in una pompa centrale, piazzata in mezzo al granaio municipale che raccoglieva tutti i depositi della Fattoria. La pompa aveva un collettore che distribuiva il grano aspirato dalle bocche in altre pompe che uscivano dalle finestrelle del granaio e che partivano su Borgo, come le zampe di un ragno mostruoso. Dalle finestre della canonica don Milvio poteva scorgere perfettamente i tubi della sua macchina che calavano su Borgo, e riusciva perfino a sentire il rumore, come un rumore di grandine sulle tegole, del grano che turbinava contro i tubi di metallo.

"Oggi sei in ritardo di dieci minuti," diceva don Milvio al sagrestano con finto rimprovero.

Al primo doppio la gente usciva di casa coi sacchi e don Milvio correva alle finestre laterali per abbracciare con lo sguardo tutti i lati di distribuzione. Il tubo principale distribuiva in piazza, dove c'era già una discreta fila, ma altri quattro tubi, per sveltire la distribuzione, funzionavano ai quattro punti cardinali del paese. Don Milvio aveva già in mente una modifica astutissima; dal collettore centrale partiva una raggiera di tubi grossi come grondaie che s'infilavano direttamente nelle finestre delle case. Certo era una modifica un po' troppo lussuosa e richiedeva calcoli molto complicati: per quest'inverno ci si poteva contentare della macchina primitiva. E don Milvio poggiava la fronte sul vetro ghiacciato guardando i cani randagi che si rincorrevano sul sagrato cercando di forzare col muso la porta della chiesa.

Ma nel brevissimo pomeriggio del ventitre gennaio, proprio mentre don Milvio passava dalla visione della sua macchina a quella dei cani randagi, vide passare per la strada il cappotto di Garibaldo, e non seppe resistere alla tentazione: spalancò la finestra, a costo di prendere una polmonite, e gridò un invito perentorio che si condensò immediatamente nell'aria:

"Garibaldo, vieni su un momento!".

E siccome Garibaldo, interdetto e sospettoso, non si decideva a salire, abbandonò ogni pudore di rispettabilità ecclesiastica e scese lui stesso, con le pantofole e lo scaldino in mano, fino alla neve ghiacciata della soglia.

"Cosa aspettate a prendervi il grano del granaio

municipale," disse a precipizio, "volete morire di fame come tanti scemi?"

E poiché Garibaldo, ancora più interdetto, lo guardava a bocca aperta senza trovare le parole per rispondere, don Milvio, rientrando dietro la porta, perché il freddo era superiore alla sua convinzione, concluse:

"Siete tutti figli di Dio, dunque siete tutti uguali, dunque il grano è di tutti".

Garibaldo rimase fermo qualche minuto nella dimoia della grondaia senza neanche sentire le gocciole ghiacciate che gli piovevano nel collo; poi alzò il bavero del cappotto e partì a passo svelto lungo i vicoli dei pozzi, verso il granaio. Quando entrò in casa, già a buio fitto, scuotendosi di dosso la neve ghiacciata, annunciò ad Esperia che lo aspettava in ansia:

"L'unica soluzione è assaltare il granaio municipale".

"Ci hanno messo le guardie," obiettò Esperia.

"Sono quattro e trabocca di grano. L'ho visto io stasera. Ci sono entrato e ne ho rubato un po' per farlo vedere in paese. È quello della Fattoria, guarda com'è bianco."

Ne prese una manciata di tasca. Era imbottito di grano e quando si muoveva lo seminava dai calzoni.

"Ora vado in paese e lo faccio vedere a tutti. Loro ci vogliono far morire di fame, e noi ci prendiamo il grano."

Passò la notte a distribuire chicchi, di casa in casa. Entrava nelle case, si metteva a gambe larghe, scrollava i calzoni e pisciava grano dai gambali.

"Il granaio municipale," diceva, "trabocca, altro che carestia. E il pane non si può comprare perché costa l'ira di Dio. E noi come tanti scemi. Buonanotte a tutti."

30. *Ufficialmente alle sette di sera*

Al mattino in piazza c'era una folla taciturna e livida. Si erano portati sacchi vuoti e pale, ma anche forconi per doppio uso, perché i chicchi di Garibaldo durante la notte erano fermentati di rabbia. Dicono che il primo a seguire Garibaldo fu il padre di Guidone, costretto da circostanze impellenti, perché il figlio gli divorava un chilo di pane al giorno e se non ce l'aveva dava in matto e distruggeva la casa. Poi la fiumana gli andò dietro, gridando abbasso il re, travolse le porte e le quattro guardie terrorizzate e irruppe nel granaio. Si rifornirono per tutto l'inverno. Garibaldo, in cima a un tino, dirigeva il saccheggio, badando che tutti avessero parti eque; quando arrivò il drappello dei rinforzi a cavallo, con le sciabole e i bastoni, stava dirigendo gli ultimi ritardatari, e furono sorpresi all'improvviso, senza far caso al doppio di campane (il primo in dieci giorni) con cui don Milvio, che aveva visto la squadra dalla finestra, pretendeva di avvisarli.

Ufficialmente Garibaldo morì il 24 gennaio 1899, alle sette di sera, anche se trovò il tempo di parlare con suo figlio fino al mattino successivo.

"Turati, Turati, quanto male fai agli italiani!" sospirò il dottor Camici che servì solo a constatare il decesso. E fu l'unico caso in cui non poté ordinare il calomelano.

SECONDO TEMPO

1. *La sete di Melchiorre*

Melchiorre era flaccido, ma contava sulla mole e sulla forza d'urto. Con queste armi si slanciava sui compagni, che odiava con profonda malinconia perché si sentiva infelice. Un giorno, in un accesso di disperazione, entrò nella penombra della chiesa. Don Milvio era acquattato nel confessionale, in cui andava a passare i pomeriggi nell'inutile speranza che qualcuno andasse a confessarsi. Con l'andar del tempo era diventata un'abitudine corroborata dal fatto che d'estate quello era il luogo più fresco della canonica e vi poteva schiacciare pisolini ottimistici sognando file di penitenti che aspettavano il turno della confessione.

"Padre, mi voglio confessare."

Per la prima volta dacché era a Borgo don Milvio passò dal sogno alla realtà senza delusioni.

"Dimmi, figliolo."

Melchiorre ricevette in pieno viso la zaffata dell'aglio con cui don Milvio pretendeva di curare la sua dispepsia di origine psicologica. Ma nonostante questo trovò la forza di confidare le sue pene. Voleva amare il prossimo, invece riusciva solo a odiarlo.

"Preghi?" chiese don Milvio.

51

"Tanto," rispose Melchiorre. "Prego la Madonna e l'Angelo custode."

"Hai culto dei santi?" chiese don Milvio.

"Sì," rispose Melchiorre. "Mi affido a san Domenico e a san Luigi Gonzaga."

"Sono santi un po' troppo fini," disse don Milvio che aveva la mania di san Girolamo perché si era nutrito di cavallette. "Perché non ti rivolgi a san Girolamo?"

"Lo farò," disse Melchiorre.

Trascorse un silenzio gravido d'aglio. Don Milvio stava per scivolare di nuovo nell'abitudine del sonno quando Melchiorre dette un colpo di tosse intenzionale.

"Sei ancora qui?" disse don Milvio. "Ti avevo già dato l'assoluzione."

"Devo confessare il mio maggiore peccato," disse Melchiorre.

"Qual è?" sbadigliò don Milvio.

Melchiorre indugiava grattandosi un ginocchio che cominciava a fargli male sul legno dello scalino.

"Non ho il coraggio," sibilò.

"Devi vincerti," lo incalzò don Milvio per il quale la durata della confessione stava oltrepassando i limiti della disabitudine.

"Se riuscissi a vincermi," disse Melchiorre, "non ci sarebbe bisogno che mi confessassi, perché non esisterebbe il peccato."

Don Milvio, che nonostante la sonnolenza e la mancanza di allenamento ai problemi delle anime in pena era sveglio d'intelletto, capì al volo.

"Sei un codardo," disse. "Questo è il tuo peccato."

"Sì," confessò Melchiorre.

Con un'agilità temporale di cui non si credeva capace don Milvio indietreggiò fino agli insegnamenti del seminario.

"Per vincere la codardia," sentenziò, "bisogna essere umili. E per essere umili bisogna far penitenza."

"La faccio," disse Melchiorre.

"In cosa consiste?"

"Ho sempre tanta sete e cerco di non bere," disse penosamente Melchiorre.

"Questo può farti male al corpo," disse don Milvio. "Devi adottare un altro sistema. Ricordati che la maggiore umiltà è essere sinceri con noi stessi e con gli altri."

"Ho detto a mio nonno che voglio andare in seminario," disse Melchiorre, "ma lui mi ha punito. Vuole che diventi ingegnere agronomo."

"Cosa ti ha fatto?"

"Mi ha tolto l'acqua," disse Melchiorre con la gola secca.

Don Milvio, che fino allora non si era dato pena di forare la penombra per riconoscere il penitente, si avvicinò alla grata.

Melchiorre resistette stoicamente alla zaffata d'aglio.

"Cosa devo fare?" implorò.

"Devi sopportare la sete tante volte finché tuo nonno non si sarà stancato di fartela sopportare," disse don Milvio. "Allora avrai vinto."

Melchiorre strinse i pugni.

"Farò così," disse deciso.

Quando tornò a casa trovò suo nonno che faceva i conti in salotto. Quando faceva i conti era più irascibile del solito perché scopriva che quei pezzenti si erano fatti pagare le cannelle il doppio della volta precedente.

"Dove sei stato?" gli chiese senza alzare gli occhi dai registri.

Melchiorre non rispose e sentì un'improvvisa arsura che gli seccava la gola.

"Ti ho chiesto dove sei stato," ripeté la voce tagliente.

L'arsura diventò insopportabile.

"Sono stato a passeggiare per i campi," rispose Melchiorre.

Scappò in cucina e si attaccò alla brocca. E bevve a bocconi, come un invasato, mentre le lacrime gli scorrevano sulle gote come se l'acqua che ingeriva trovasse uno sfogo per tornare fuori, per dispetto.

2. Cinque Imberti in un anno

Nel disinteresse generale, nonostante la grande bandiera al balcone del municipio, le autorità decisero di indire festeggiamenti per la nascita del delfino e di tappezzare Borgo di manifesti esplicativi. Per far prima, visto che in paese non c'era una tipografia, dettarono per telegrafo il manifesto alla premiata tipografia della città più vicina. Ma forse per distrazione del telegrafista o per incuria del tipografo, quando all'imbrunire arrivarono al nodo ferroviario i pacchi dei cinquecento manifesti, c'era un errore di stampa, centrale e irrimediabile, perché si stava facendo buio. Dopo un quarto d'ora di panico municipale si ripiegò sull'unica soluzione possibile.

"Attacchiamoli così, quello che conta è l'intenzione."

Prima della fine dell'anno a Borgo nacquero quattro bambini e tutti si chiamarono Imberto, perché era un nome così nuovo.

3. *La carezza del re*

"La carrozza passò, la folla irruppe e ci divise, perdemmo di vista Coretti padre. Ma fu un momento. Subito lo ritrovammo, ansante, con gli occhi umidi, che chiamava per nome il figliuolo, tenendo la mano in alto. Il figliuolo si slanciò verso di lui, ed egli gridò: Qua, piccino, che ho ancora calda la mano! e gli passò la mano intorno al viso, dicendo: Questa è una carezza del re!"

Il maestro chiuse il libro e si soffiò il naso, per freddo e commozione. Alzò gli occhi sulla scolaresca per cercare una bocca che ripetesse, ma incontrò solo visi bassi. Poi incrociò gli occhi di Garibaldo, che lo fissavano come due fari.

"Garibaldo, vieni a ripetere," disse il maestro.

Ma Garibaldo non rispose. Stava trafficando con la sua cartella.

"Ti vuoi decidere," insistette il maestro.

Garibaldo si alzò, piano piano, col cartolare sotto il braccio, e si avviò alla porta.

"Non ci vengo più," disse a bassa voce. "Scusi e arrivederla."

E se ne andò.

Non ci andò più davvero. Il maestro, per qualche mattina, pensò di convincere la madre a prendere provvedimenti, ma Esperia allargava le braccia come per dire eh, che ci vuol fare?

Garibaldo preferì andare per i campi con Gavure, che non aveva più voluto andare a scuola perché si era impappinato all'appello e invece di dire Gastone Vuretti aveva detto: "Ga... Vure...".

Gavure era gobbissimo, perché aveva avuto le Febbri. Quell'inverno le finestre del paese erano restate cieche per una settimana, perché c'erano in giro le

Febbri. Le donne si incontravano alla fonte e si scambiavano notizie. Quando venivano le Febbri era meglio che Dio se li prendesse con sé. Ma Gavure, nonostante i febbroni, era campato.

4. *Sciroppi di menta ai Bagni Margherita*

Melchiorre veniva a Borgo a passare i settembri. Sedeva al tavolino del caffè, vestito di bianco, e si faceva chiamare signor ingegnere. Studiava agronomia in una città in cui si andava in treno e non salutava nessuno per primo. Ma i suoi studi andavano a rotoli, perché detestava l'agronomia. Di tutte le materie aveva preso passione solo a una, negletta e quasi derisa dai più brillanti, la botanica, che si era messo a studiare con disperazione maniacale. Lo attraevano specialmente i muschi e i licheni, per i quali sentiva un'affinità elettiva e per la cui forma di vita provava una sorta di affettuosa invidia. Aveva preso a collezionarli, rigorosamente etichettati, nella stanza in cui suo padre aveva meditato su sant'Orsola, e aveva riempito i muri di vetrinette che costruiva da sé: genere di reliquiari che alla sera guadagnavano un fascino osceno e feticista, per via di certi muschi cupi e pelosi e di licheni rosati e impudichi che aveva raccolto sulle Dolomiti in un viaggio col convitto. Di quella gita Melchiorre conservava un ricordo angustiante: una sete che l'aveva assediato durante tutta la marcia alpina e uno svenimento, preannunciato da capogiri, che lo aveva colto proprio in vista del rifugio. Poi non ricordava più niente, perché si era svegliato già al piano, dopo un giorno e una notte di sonno senza sogni.

Passava estati di una molle solitudine ai Bagni Margherita di una rinomata città balneare e mandava a suo nonno due cartoline con devoti saluti dal nipote Melchiorre, una per san Pietro e Paolo, l'altra per l'Assunta. Tornava bianco com'era partito e suo nonno gli chiedeva se avesse passato l'estate in pensione; sentendosi defraudato, da quella emaciatezza, dei soldi spesi per la villeggiatura. In realtà Melchiorre detestava la spiaggia, dove scendeva ogni mattina al riparo della sua paglietta, per trascorrervi ore oziose fissando il mare e tormentando la rena col bastone da passeggio. La sera andava a sedersi ai tavolini del Café-chantant dei Bagni Margherita dove Yvonne lo fissava languidamente negli acuti dei finali. Melchiorre ordinava cinque sciroppi ghiacciati di menta e affogava la sua malinconia in sorsate poderose che lo lasciavano senza fiato. Rientrava alla pensione stremato e con pensieri suicidi.

"Signor ingegnere," gli diceva l'albergatrice, "fa male a stare così solo. Ci sono tante ragazze che sarebbero felici della sua compagnia..."

Ma Melchiorre, con un raschietto e un sacchettino, andava in pineta, in cerca di muschi.

5. *Un libro pieno di papi in fiamme*

Immaginavano di scappare con Apostolo Zeno, il cui carro tutti gli autunni traversava Borgo: un carro incerto come una bilancia, coperto da un incerato verdestinto. Apostolo Zeno vendeva panni, bacinelle e romanzi a puntate, riparava tegami di stagno e sprangava conche di coccio. Ma era principalmente burattinaio. Si sistemava sulla piazza, col mulo che solo l'ormeggio al monumento impediva di crollare al suolo, e abbassava a balcone la fiancata del carro per esporre le mercanzie: dopo le vendite passava ai paioli e alle conche. Se il lavoro non era stato eccessivo dava spettacolo, ma solo se non era troppo stanco, perché faceva teatro per piacere, più che per soldi. Rialzava la fiancata, sollevava il telone e il teatro era pronto. Lo scenario era lo stesso ogni anno: un balcone con fiori scarlatti su un giardino fosco e bizzarro, e serviva per i drammi di Felice Cavallotti come per le farse di Chiorbadura.

Apostolo Zeno era carrarino e nichilista, ascetico e aguzzo come le Apuane, cui somigliava nelle mani per una vita di cavatore marmista finita con un tuffo a precipizio da quaranta metri, rimbalzando di masso in masso, solo con la frattura delle anche che gli erano restate molli e sbieche. Si chiamava Apostolo Zeno di nome proprio, né avrebbe tollerato soprannomi. Da lui comprarono un libro con molte illustrazioni, pieno di mostri e di papi in fiamme, che Gavure bastava leggesse per imparare a memoria. Lo aveva raccontato a puntate G. Anselmi, anche se il suo inventore si chiamava Alighieri. Smosso a confessione da tutte quelle pene, Gavure confidò a Garibaldo che dormiva per terra con un mortaio sulla schiena, per perdere la gobba.

Quell'anno fu un'estate così lunga che a settembre erano già adulti. Appena a maggio si spingevano sullo stradone che portava alla spiaggia e raccoglievano insetti e farfalle per studiarli e fargli il funerale. Settembre li trovò inerpicati sulle dune, fra gli arbusti, a spiare le donne che si cambiavano dopo essersi bagnate. Spesso andava con loro anche il Guidone, che nonostante fosse più giovane di qualche anno li superava di quattro centimetri di virilità. Gavure era rimasto piccolino, ma aveva peli da uomo. Piangeva sulla sua gobba che non accennava a diminuire nonostante il mortaio. Anzi.

6. Troppo poca acqua, in Libia

Suo nonno, per consolarlo, gli fece trovare una festa. Quando scese dal calessino, tutta la fattoria era allineata sull'aia, come le oche, per fare un applauso:

"Viva il signor ingegnere!".

Fece tutto il rinfresco, sorridendo come in fotografia, strinse le mani e sopportò i complimenti. Poi scappò in camera sua. Aveva sognato tanto la botanica e la Libia, e invece tornava ingegnere e riformato. Ingegnere perché prima o poi, aveva detto suo nonno, la laurea te la devono dare; riformato perché in Libia c'era troppo poca acqua, per una sete come la sua.

7. Gesù nel bicchiere

Fu un presagio, un avvertimento. Dimostrò che non era un paese dimenticato da Dio, dove gli uomini morivano nel peccato. Gesù venne a trovarli quando nessuno se lo aspettava, e si rivolse a uno dei più grandi peccatori (come poi cercò di spiegare lui stesso con grandi ammicchi): il Quirino che accomodava gli ombrelli e fabbricava mantelli d'incerato, bestemmiatore di sicura esperienza e fertile fantasia, cliente fisso della mescita.

Il Quirino giocava a carte, fuori pioveva e lampeggiava. Il Quirino con la sinistra regge il bicchiere di rosso, con la destra il gobbo di picche che ormai non gli serve più perché l'avversario ha l'asso di briscola. Il Quirino cala il gobbo e gli scappa un moccolo nuovissimo, inventato all'istante, su Gesù Cristo:

"Maledetto Gesù nel bicchiere!".

Fuori scoppia un lampo, una ventata spenge il lume, e allora successe quello che in cinque giurarono di aver visto. Nel buio si accese una luce, ed era una luminosa figura nel bicchiere del Quirino: un minuscolo uomo giovane e seminudo con una corona di spine sulla fronte e una croce a spalle. Quando riaccesero il lume il bicchiere era tornato normale, ma il Quirino aveva perso la favella.

Il giorno dopo si seppe che era scoppiata la guerra. Quell'anno il Quirino scappò pastore nelle maremme, dove la parola non gli serviva a niente.

8. *Matrice di bellezza*

"Lo ha detto quello là," diceva Garibaldo, "matrice di bellezza."

Se ne andavano al mare e si stendevano sulla rena tiepida di settembre. Gavure si era rassegnato alla gobba, se ne scordava studiando la politica.

"Altro che guerra," diceva. "Con la guerra i poveri diventano più poveri e i ricchi più ricchi."

Veniva rasente un gabbiano. Donne lontane, ancor più desiderabili.

"La bellezza è altre cose," mormorava Gavure. "La bellezza è essere liberi."

9. *L'armata se ne va*

Aveva conosciuto Asmara al fiume, ed era cominciata un po' per gioco e un po' per puntiglio, perché lei non voleva uscire dall'acqua.

"Dài, scemo, girati dall'altra parte."

"Aspetto così fino a stasera," rideva Garibaldo seduto sui panni di lei.

Asmara non era uscita fino alla sera, ed aveva preso la bronchite, ma si era innamorata di quel giovanotto allampanato, coi capelli di un rosso uggioso, che si allontanava sconfitto biascicando scuse. Asmara aveva un sorriso altero e il naso a punta, da caparbia. Avrebbe voluto andare buttera ai cavalli delle piane e invece l'avevano messa al telaio. Per questo sentiva gli uomini come rivali.

"Si credono superiori perché pisciano al muro," diceva.

E dei cavalli selvatici aveva le ombre, e le froge umide e dilatabili per fiuto e per rabbia. Si trovavano la sera, sul cancello della casa dove lei viveva con la zia. C'era un cespuglio di rose e ogni sera Garibaldo gliene offriva una, che Asmara sfogliava per dispetto. Si scambiavano baci lunghi, vogliosi e pavidi. Asmara faceva progetti e di notte ricamava lenzuola. La sera in cui Garibaldo, nel darle la solita rosa, cercò di annacquarle i sogni, Asmara disse:

"Ci conosciamo appena e parti già".

Si baciarono con un bacio tempestoso. Mentre si allontanava, Asmara lo richiamò.

"Se pensi che mi scordi di te," gridò, "sei fuori strada. Ti aspetto, figurati se mi preoccupano gli austriaci!"

E sbatté il cancello furibonda.

Partirono dal nodo ferroviario, promosso a stazione in quel frangente ma ancora senza nome. Asmara non si fece vedere, ma Garibaldo scorse un fascio di rose su una catasta di traversine e capì che lei era venuta lì durante la notte. Addio mia bella addio, tentò di cantare qualcuno dal finestrino. Gavure, arrivato all'ultimo momento per salutarlo, un po' sventolava il fazzoletto, un po' ci si asciugava le lacrime, mentre il treno si allontanava lungo la scarpata.

Restò un paese di vecchi.

10. *Dal fronte al fronte*

"Asmara mia, qui si muore come topi e queste trincee sembrano proprio fogne. Cosa vuoi che me ne importi dell'Italia, con questo ghiaccio. Ho chiesto ai compagni se a loro gliene importa e tutti la pensano come me. Il capitano mi ha diffidato di sovversione. Io gli ho detto: matrice di bellezza."

"Tu ti lamenti, ma anche qui non è che si faccia i signori. Ha nevicato che dovresti vedere, è tutto una lastra di ghiaccio, ha bruciato tutti i campi, sarà un problema. Vado a trovare tua madre che sta rintanata in casa a fissare i muri."

11. *Sfortuna nei piedi*

Un giorno, sullo stradone che andava verso il mare, spuntò un cilindro altissimo che sormontava uno stoico frac. Spingeva un carretto rosso, accompagnato da un cane che aveva avuto un barbone fra i suoi antenati. Sul carretto c'era un cartello.

Dott. Speranza
(Ragguagli e Profezie)
* * *
IL MIRACOLO DELLO SPECCHIETTO

Alzò baracca sulla piazza e per l'intero pomeriggio diffuse l'Aida da un grammofono a tromba. La sera tutte le famiglie che avevano qualche parente al fronte avevano comprato uno specchietto e cercavano di captare il proprio congiunto. Ci riuscirono quasi tutti, esclusi quei pochi che si erano dimostrati scettici sulle proprietà metapsichiche e avevano comprato lo specchietto per non essere da meno degli altri o per non sfidare il destino. Lo strumento, secondo quanto spiegò il dottor Speranza, funzionava in base alle virtù telepatiche. Aveva venduto ai soldati al fronte uno specchietto identico a quello che veniva mostrato a lorsignori: il resto era sotto i loro occhi. La scienza non riusciva a spiegare i fenomeni psicotelepatici. E mostrava, nel suo specchietto, un capitano biondiccio e coi baffetti gommosi, col quale era personalmente collegato in psicotelepatia, che strizzava l'occhio e faceva ampi cenni di saluto.

I riflessi del fuoco del dopocena e gli scarsi lumi di sego favorirono i collegamenti. Rientrarono nelle case del paese molti visi che erano partiti due anni prima; alcuni erano stanchi e smagriti e tentavano appena di sorridere; altri con l'ilarità dell'adolescenza, che la guerra non era riuscita a spengere. Alcuni aprivano la bocca e tenevano lunghi discorsi, ma non si sentiva niente di quello che dicevano perché, come aveva spiegato il dottor Speranza, la voce purtroppo non era psicotelepatica.

Fu attraverso lo specchietto che Esperia seppe del suo Garibaldo. Era notte fonda, rischiarata a tratti dai bagliori dei bengala che illuminavano la neve che veniva giù come nelle palle di cristallo con l'immagine dei santuari. Garibaldo era rannicchiato contro il filo spinato e pareva che dormisse. Lo specchietto gli si avvicinò ed Esperia gli vide il viso. Aveva gli occhi aperti e muoveva le labbra.

"Si lamenta," pensò Esperia, "si lamenta."

Lo seguì con ansia per qualche minuto, poi andò a chiamare la Zelmira che curava strappi e distorsioni con stoppa e chiarate e s'intendeva di tutti i malanni, e all'occorrenza li segnava. Anche lì era una notte d'inferno e il vento faceva mulinelli di neve acquosa. La Zelmira venne sotto lo scialle.

"Per me ha avuto un giramento di capo," diagnosticò.

"A me invece mi pare ferito alle gambe," gemeva Esperia.

Lo specchietto su loro richiesta fece un giro delle gambe di Garibaldo. I pantaloni erano intatti e non si vedevano macchie di sangue.

"Ti dico che ha avuto un travaglio," insistette la Zelmira.

Cinque giorni dopo Esperia ricevette un telegramma. Diceva che Garibaldo era ricoverato all'ospedale militare, per congelamento.

"Saranno i piedi," confidò Esperia alla Zelmira. "La nostra famiglia ha sempre avuto sfortuna nei piedi."

12. *Il Vangelo secondo don Milvio*

Anche se nessuno si era ancora confessato, da quando era successo l'assalto al granaio, avevano cominciato a andare a messa la domenica, perché forse qualche voce era corsa e pareva una maniera di ringraziarlo. Venivano in silenzio, stavano a gruppetti in fondo alla chiesa, non rispondevano alle preghiere; ma lo guardavano tranquilli, più che con devozione con solidarietà. Problemi non ne davano, a parte le visioni della Zelmira che con l'età da cerusica si era fatta beghina e vedeva miracoli in tutti i canti. Ed era un problema dissuaderla.

Spacciandolo come Vangelo, don Milvio leggeva brani di *Socialismo cristiano* di Padre Curci, di cui prediligeva le concezioni sul dogma che non doveva essere fisso, ma modificarsi conformemente ai tempi.

"Verrà il giorno," diceva, "in cui non esisteranno più dogmi, perché non ce ne sarà più bisogno."

Don Milvio detestava i dogmi, che trovava anticaritatevoli. Amava la religione alla stessa maniera dell'idraulica, e gli piaceva vederne chiaro tutti i meccanismi.

13. *Sperare è gratis*

"Hanno bussato," disse Asmara parlando con se stessa, perché la zia le questioni d'udito non la riguardavano.

Erano due noci di colpi, di una nocca incerta.

"Hanno bussato."

Si tolse il grembiale, infilò l'ago sul ricamo del tamburello e dischiuse la porta. Entrò un fascio di notte con l'abito bianco di Melchiorre sul fondo.

"Venivo a fare una visita," disse il gargherozzo nervoso, in su e in giù.

"Che eleganza," disse Asmara.

Melchiorre indugiava sulla soglia, girando il cappello fra le dita paffute.

"Vieni dentro."

Asmara dava del tu per abitudine, perché non conosceva l'uso di altri pronomi. Se azzardava il lei dopo un po' sbagliava verbo. Melchiorre si sedette in punta di seggiola con le ginocchia congiunte e Asmara riprese a ricamare, sbirciandolo. Melchiorre tossicchiava e tossicchiava.

"Pensavo se vorrebbe passeggiare con me, domenica che viene."

"Passeggiare con te," disse Asmara.

"Intendevo in piazza," si scusò Melchiorre. "Costruiscono il teatro, lo vanno a vedere tutti, prendiamo una granita."

Melchiorre parlava piano, con voce salivosa. Aveva il viso glabro e bello, con le labbra pallide e occhi tardi che sembrava guardassero in dentro. La zia diceva che era un bravo giovane, forse perché era ingegnere e alla morte di suo nonno sarebbe stato fattore, forse anche di più. Era grassoccio e calmo, gli tremava la voce quando parlava di cose importanti e possedeva l'unico grammofono di tutto il paese. Si erano conosciuti bambini, con Asmara, e lui non le aveva mai confessato il suo debole, per debolezza. Ma Asmara lo aveva sentito e per questo preferiva evitarlo, per non arrivare al punto di fargli avere delle speranze e poi dovergli dire di no. Alla festa del patrono, però, aveva ballato con lui, perché a diciott'anni non si ha animo di rifiutare un ballo.

La piazza era orlata di catene di carta verdi e rosse con palloncini illuminati. Fra quelle braccia molli che non avevano la forza di farla girare, Asmara si era sentita abbracciata da un polpo fuor d'acqua, e se l'era sognato due notti svegliandosi in sudore.

"Posso sperare di rivederla?" le aveva chiesto il polpo.

E Asmara aveva risposto che sperasse pure, se voleva: sperare è gratis.

Melchiorre taceva col mento appoggiato sul petto come se si fosse addormentato nell'indifferenza dell'ospitalità. Solo i polpastrelli che lisciavano il nastro del cappello rivelavano che era sveglio. Poi mosse i piedi per far rumore.

"Posso sperare per domenica che viene?" sussurrò.

Asmara fermò l'ago e ruppe il filo coi denti.

"Melchiorre," disse alzandosi, "patti chiari amici

cari. Io posso venire a passeggiare anche tutte le domeniche, ma è solo per amicizia."

E lasciò che scivolasse nella notte, attraversando il giardino come una chiazza di luna.

14. *Una camelia nei capelli*

Sapevano cosa erano gli aeroplani, anche se non ne avevano mai visti, e quella sera, sul tardi, tutti si affacciarono sulle soglie, attirati dal ronzio che veniva dall'alto. Ma quello non era un aeroplano, sembrò piuttosto una strana nuvola pregna d'acqua, finché qualcuno non vi riconobbe le fattezze del drago con un orlo di fuoco sulle fauci che nel quadro della canonica veniva ammazzato da san Michele. Ma ben presto abbandonò quella forma e si rivelò un dirigibile: un pallone affusolato e chiaro con bubboni di corvi aggrappolati sulle eliche. La gente si fece sulla via, per vedere meglio. Il dirigibile planò a mezz'aria sulla piazza, buttando l'ancora sul monumento. Si vide calare una scaletta di corda che la luna inquadrò con un fascio di luce, come un riflettore. Poi, in un silenzio generale, videro una gonna a farpalo color vermiglio che si affacciava dalla navicella di comando, e lungo la scaletta si calò una donna procace, col viso terreo e una camelia nei capelli luttuosi. Le sette gonnelle di pizzo frusciavano ad ogni scalino. Quando toccò il suolo fece "oplà", con un inchino, schermendosi con un cenno del braccio come per stornare gli applausi su un'invisibile orchestra. Allora la gente si accorse che le ossa delle mani erano allo scoperto e il vermiglio del vestito sgocciolava per terra formando una pozza scura.

Fu descrivendo la sua allucinazione che Gavure

raccontò a Garibaldo l'ingresso della spagnola in paese. Tutte le finestre si pezzarono di giallo. L'estate diventò appiccicosa come un giulebbe: s'infilava sotto le imposte, colava dalle fessure delle porte e infestava il paese. L'aria pareva una pania.

"Per guarire dalla spagnola bisogna cacare sangue," ripeteva il dottor Camici lasciando sui comodini bottigliette di calomelano.

15. *Un baule pieno di lenzuola*

Per Garibaldo la guerra finì con tre mesi d'anticipo e con tre dita di meno nel piede destro. Scese dalla vettura zoppiccando e mostrò agli amici la fotografia di una crocerossina genovese, con gli occhi melensi e un colletto alla marinara.

Gavure si era scordato talmente della gobba che quasi non la si notava più. In tre anni aveva imparato decine di libri, perfino stranieri, che vendeva a don Milvio sperando che diventasse marxista. Ma don Milvio opponeva al massimalismo la carità cristiana. Litigavano amichevolmente per interi pomeriggi e si lasciavano odiandosi e promettendosi di non salutarsi più.

Quando Garibaldo arrivò, Asmara lo aspettava sul cancello, con un vestito a fiori che si era fatto nel caso che lui tornasse d'inverno e che aveva finito per adottare in ogni stagione.

"Ho il baule pieno di lenzuola," gli disse buttandogli le braccia al collo.

Garibaldo non sapeva come dirle del piede, ma lei lo prevenne.

"Con sette diti si corre come con dieci, e sei anche più interessante."

Si baciarono per altri due anni sul cancello, affogando in pozze di desiderio. Garibaldo tentava di trascinarla di dietro, verso il canneto che orlava il fossato.

"Tu sei scemo," rispondeva Asmara. "Solo sulle mie lenzuola. Sulle mie belle lenzuola ricamate."

16. *Los Hermanos Montero*

Il paese non aveva mai visto un circo così. Era grosso a tal punto che quando lo innalzarono sulla piazza alcune case dirimpetto restarono sotto il telone, confuse tra i palchi e le scalinate, e i loro abitanti si godettero lo spettacolo tutte le sere, solamente affacciandosi alla finestra.

Los Hermanos Montero si arrampicavano fino all'ultimo trapezio finché dal basso sembravano due mosche. Allora cominciavano a rullare i tamburi perché Montero Primo, disperato, voleva buttarsi disotto e Montero Secondo cercava di convincerlo con grandi gesti. Silenzio d'orchestra e Montero Primo si buttava a volo d'angelo, come un aquilone, ma quando mancavano pochi centimetri alla segatura si fermava in tronco, a testa in su, nel mentre che nell'aria schioccava l'argenteo filo di seta che gli teneva i denti attaccati a quelli del fratello, come la bava di un ragno. La platea faceva:

"Aaaaaaah!".

E Montero Primo attaccava a salire la sua tela, ingollando e ingollando, finché arrivava all'abbraccio del fratello. Anche il bronzo del re, intrappolato fra le funi, era lustro di sudore dall'emozione.

Garibaldo e il Guidone si fecero coraggio e andarono a parlare coi baffi di Monsieur Oignon, un Cecco Beppe travestito da direttore, che pareva altissimo seduto e piccolissimo in piedi.

17. *Si recita a soggetto*

La guerra aveva fermato il teatro alle pietre di picchetto e alla facciata: un frontone neoclassico che abbracciava un rettangolo d'erba. Nel recinto, difatti, forse per i picchetti che lo difendevano dai cani e dal vento, era cresciuta un'erba alta e grossa, verde cupo e prolifica, che si affacciava anche a ciuffi spettinati dalla porta senza porta.

Dopo due anni d'abbandono, siccome il foraggio costava troppo e di uomini non ce n'era per tagliar cannelle, Asmara andò da Esperia e aprì la stalla.

"Oggi te le porto al pascolo," disse, "se no crepano di fame."

E se ne andò in teatro. A mezzogiorno la guardia comunale volle spiegazioni.

"Che si fa?" chiese senza entrare nel recinto.

"Si recita a soggetto," disse Asmara.

18. *Dieci lire liquide e un pappagallo*

Los Hermanos Montero erano convinti che la battaglia decisiva contro il capitale si sarebbe combattuta in Spagna. Garibaldo ripuliva i cavalli, si metteva il sacco a spalle e andava a spargere segatura sulla pista.

Mangiavano tutti alla stessa tavola: un tabellone appoggiato a due caprette di legno, sotto il tendone. Presiedevano a capotavola i baffi di Monsieur Oignon, ad angolo retto col frac di Nemesicus, illusionista sollevatore di corpi, che grazie alla metempsicosi si era scelto come futura dimora le sembianze di uno yeti, animale che considerava felice grazie alla sua inalienabile solitudine. Garibaldo sedeva fra la fascia di cuoio nero che stringeva il polso destro di Maciste e la nervosa mano sinistra di Pecos Bill, mancino lanciatore di coltelli della Savoia che detestava tutti quelli che non capivano il francese. Quando Maciste, impossessandosi della zuppiera per rigovernarla col mestolo dava il segnale che il pranzo era finito, Garibaldo si alzava col Guidone e andavano a passeggiare sotto la rete, chiacchierando con Los Hermanos Montero. Il Guidone era stato ingaggiato per misurarsi con Maciste. Ogni sera faceva da pubblico, vestito da signore con giacchetta e cravatta sgargiante, sgranocchiando semi di zucca e noccioline, finché Monsieur Oignon non sbucava dalla tenda di fondo per sfidare lo spettabile pubblico a misurarsi con Maciste. Premio: dieci lire liquide e un pappagallo che sapeva barzellette in napoletano. Maciste, coperto con una pelle di leopardo, rondava la pista digrignando i denti al pubblico e piegando sbarre che da lontano parevano di ferro. Ma quando, nel silenzio generale, gli inviti di Monsieur Oignon incominciavano a colorirsi d'ironia, si levava il Guidone, torreggiando sulla platea, e ruggiva:

"Io!".

Naturalmente perdeva quasi sempre, anche se certe sere, per dar soddisfazione a pubblici meno tolleranti, abbatteva Maciste e si portava via il pappagallo che poi rimetteva alla catena appena il pubblico era sfollato.

Si separarono a Roma.

Hasta la vista, agitarono le mani dei Montero mentre la carovana imboccava la Nomentana. Il loro carrozzone chiudeva la fila. Dalla finestrella di dietro, incorniciata dalla scritta le mani dissero hasta la vista finché non si poterono più vedere.

Guidone e Garibaldo si abbracciarono perplessi nell'immensità delle vie. Guidone aveva l'indirizzo di una palestra.

"Vieni con me," pregò. "Un lavoro di generico lo trovi sempre."

Ma Garibaldo aveva già il suo sacchetto a spalle.

"Volevo solo vedere Porta Pia," disse. "Buona fortuna."

A Milano, gli avevano detto, era arrivato Malatesta. Ma si fermò a Grosseto.

19. *C'è speranza nell'Argentina*

L'Asmara si lasciò baciare altri tre anni sul cancello, annaspando di tentazione. Passavano estati languide, acquose, di nostalgie affogate nel rosso dei cocomeri e sogni addormentati nell'afa dei pomeriggi. Gavure veniva la sera, coi giornali custoditi sulla gobba anteriore, che lo riparavano anche dal fresco della bicicletta. Pareva ingiallito di rabbia repressa, ammalinconiva.

"Hai visto cos'hanno fatto gli squadristi. Hanno devastato altre due sedi. La polizia gli tiene filo."

Erano anche manifesti che aveva imparato a stampare, tipografo in città. Sapeva di politica come una volta di calabroni, usava parole sconosciute. Parlava in corsivo. Garibaldo, che si era sempre creduto un disoccupato, seppe da lui di essere un sottoproletario.

"Bisogna organizzarsi," diceva Gavure, "se no ci trombano."

L'Asmara preparava vino e schiacciata con lo zibibbo, e passavano la sera intorno alla tavola, mentre la zia si addormentava nel silenzio della sua sordità.

"Hai sbagliato a intrupparti con quelli a Grosseto," diceva Gavure. "Così non approdiamo a nulla, è violenza individuale, tanto fumo e poco arrosto."

Garibaldo parlava di Grosseto, lo sciopero, gli operai avevano le traversine in mano, la stazione era loro, le guardie se l'erano fatta sotto.

"E cosa avete ottenuto?" Gavure si scaldava e saltellava intorno alla tavola.

Quand'era partito, Asmara si struggeva di risentimento.

"Non ci sposiamo più."

Garibaldo pensava all'Argentina.

"È un'occasione unica, pensaci, Asmara."

Il cargo partiva fra poco, portava seta a Buenos Aires.

"Andata e ritorno, qualche mese, e metto assieme un po' di soldi."

Asmara avrebbe pianto, se non fosse stata Asmara. Ma acconsentiva stando zitta. Il Guidone, dalla Francia, mandò un manifestino con dedica, dove appariva in pantaloncini e con accappatoio lustro. Si chiamava *Le Colosse Italien*.

20. *A Carrara con la pece sul culo*

"Facciamogli gridare viva il Duce!" bofonchiò uno secco, con un ciuffo biondastro sulla fronte.

"Dài! dài!" gridarono tutti.

Apostolo Zeno, appiattito contro il carro, con

quella muta di cani a braccarlo, sbavava di paura e di rabbia. Il biondastro fece qualche passo, trastullando il manganello, gradasso.

"Stai fermo, bestiaccia," disse Apostolo Zeno. "Sono tuo nonno."

Il biondastro si girò ai compagni con un sorriso ebete.

"Oh, bellino," disse. "Ma se mio nonno è morto da quarant'anni!"

Ci fu una risata di gruppo.

"Dàgli, Venerio," disse con cattiveria uno magrolino, con la testa rapata. "Dàgli al vecchiaccio rosso."

Il biondastro si fece sotto a Apostolo Zeno e lo prese per i capelli.

"Questo è perché tu impari a rispettare mia nonna, che è una signora!"

Altra risata di gruppo, Apostolo Zeno, per la manganellata vibrata di piatto sui testicoli, si piegò in due e il suo viso incontrò lo stivaletto pronto del biondastro. Restò qualche secondo acciambellato per terra, con le labbra a filar sangue.

"La pece, ragazzi, la pece!" gridò la testa rapata. "Rimandiamolo a Carrara con la pece sul culo!"

Il gruppo si agitò e uno mingherlino, quasi un ragazzo, inforcò la bicicletta e corse sui pedali alla bottega del magnano. Apostolo Zeno, brancicando, tentava di rialzarsi, come una piattola caduta sul guscio, ma le anche gli facevano cilecca.

"Grida viva il Duce!" gli soffiò il biondastro.

Nel gruppo si fumava, aspettando la pece.

"Fate cerchio," ordinò Venerio. "Coprite il lato della chiesa."

Fra il carro e il monumento c'era una fessura di cinque o sei metri e si vedeva una fetta di canonica.

"O che hai paura del prete?" disse Apostolo Zeno sputando sangue.

A gran voce si incitò il ciclista, che sbucava di fondo alla piazza con un secchiello al manubrio. Apostolo Zeno si trascinò sulle ginocchia, con la testa in su.

"Grida viva il Duce!" minacciò Venerio.

"Schiavo pidocchioso!" disse Apostolo Zeno con la bocca piena di schiuma.

Gli furono addosso in cinque. Tre lo reggevano e due lo spogliavano. Il mingherlino uscì dalla mischia brandendo i calzoni, ma le mutande le schiantarono per far prima.

"Anche le palle, ragazzi!" gridava Venerio.

Completarono lo spregio rovesciando il carro e ballando sulle catinelle. Coi burattini fu un tiro incrociato, e poi una partita di calcio. Apostolo Zeno, senza più l'età di piangere, era scosso da un singhiozzo silenzioso che gli faceva scattare la testa dal basso in alto, con un brivido di spalle.

21. *Dieci fiammelle celesti*

La sera che era partito Garibaldo, Esperia aveva dovuto prendere il fatto in seria considerazione, perché le fiammelle celesti erano diventate dieci, una per ogni dito. Le era già successo la sera che le avevano ammazzato il marito. Era già incassato, con la bocca che si incaponiva a cascare, nonostante il cerotto. Esperia era entrata nel sottoscala a prendere una bottiglia d'aceto per spargerla in cucina e mandar via quel puzzo di morto che si era appiccicato ai muri. I pochi lumi di casa erano d'intorno al catafalco, ma la bottiglia l'aveva trovata subito perché sul mignolo sinistro le si era accesa una fiammella celeste. Il giorno dopo non ci aveva più pensato: doveva ghiacciare i fagioli e fare un infuso d'aglio al bambino che soffriva di bachi.

Ma quando partì Garibaldo, si spaventò. Era una sera tumefatta di tarda estate, che prometteva il primo temporale settembrino. Dopo aver sparecchiato il suo piatto, Esperia si sedette sulla porta e spense il lume. Fuori era già ottobre, e la notte era chiara. Le fiammelle si accesero all'improvviso, una dopo l'altra, a partire dai pollici, con un *fssss* come gasse. Ma non finì lì. Mentre si affrettava verso la casa della Zelmira, per metterla al corrente, si accorse di essere tutta celeste, non per fuoco, ma per una chiarità interna, come quella dei luccioloni senza le ali. La Zelmira, appena se la vide entrare in cucina, non ebbe dubbi:

"Per me, stai diventando santa".

Chiacchierarono un po' se era il caso di avvisare don Milvio, se non avrebbe creduto neanche all'evidenza, quell'eretico, ma Esperia era contraria.

"È meglio aspettare," ripeteva. "Con tutte queste cose moderne che hanno scoperto ora dell'elettricità. E poi magari è soltanto la nostalgia del mare."

Alle fiammelle ci si era abituata subito, le facevano compagnia. Si accendevano la sera e luccicavano tranquille, senza bruciare le lenzuola. Parevano le meduse fosforescenti della sua spiaggia nelle notti d'agosto.

22. *Uno due gran gran*

Garibaldo andò da Melchiorre. Lo trovò che dormiva il pisolino pomeridiano steso su un divano flaccido come lui. Nel sonno si scacciava una mosca di sul viso.

"L'ingegnere non vuole essere disturbato," si oppose la zoppetta che gli faceva da serva.

"Fila via," disse Garibaldo.

Lo prese per il cravattino, con la delicatezza della repulsione, e lo scosse come un campanaccio. Melchiorre scollò le palpebre.

"Come ti permetti," mugolò, e cercò la giacca con gli occhi, ma era troppo lontana, buttata sulla seggiola.

"Sentimi bene, sciroppo," disse Garibaldo. "Io mi assento per un po' di tempo, e so che stai diventando importante. Se nella mia assenza succede qualcosa all'Asmara e a Gavure, sei responsabile te. E poi si vede."

Melchiorre si ricomponeva, ravviandosi i capelli caduti a calotta sulle orecchie. Dalla finestra socchiusa entrava il rumore delle vacche che sortivano sulla corte, pungolate dai garzoni.

"Perché proprio io," disse Melchiorre.

"Perché siamo parenti," disse Garibaldo.

Il pappagallo, che sonnecchiava sulla gruccia, batté le ali e gracchiò.

"Il tuo amico ha capito," disse Garibaldo, "guarda di capire anche te."

E lasciò la stanza.

Attraversò la corte con le mani in tasca, dando pedate ai sassi. Melchiorre si affacciò alla finestra.

"Se me ne ricorderò," gridò, "non è per paura di te, ma per rispetto dell'Asmara!"

Garibaldo tirò a diritto, fingendo di non sentire. Il paese era già scuro. Diventava buio alle sei, per via dei lumi che non si potevano tenere accesi. Se no le squadracce potevano dare calci alle porte gridando: ancora svegli?! La notte si sentivano marciare: *uno due gran gran, uno due gran gran.*

23. *Non per paura ma per parentela*

"È andata così," riferì il biondastro che ormai aveva perso il ciuffo, e perché gli ricrescesse doveva aspettare perlomeno tre mesi, la testa liscia come una palla da biliardo. Batteva il pugno sul tavolo, e i camerati aspettavano che incominciasse.

Ritornava a casa in bicicletta, dopo la riunione, là sullo stradone oltre i paduli, verso i tre ponti. Il fanale dava un fascio di luce giallo nella notte, era una serata da ranocchi, perché aveva piovuto poco e aveva lasciato puzzo di polvere bagnata. Fece la curva della stallaccia frenando di dietro, perché il manubrio era duro e sterzava male. Il tronco stava di traverso proprio in mezzo alla curva, con uno spazio verso il ciglio che per imboccarlo ormai non c'era più tempo. Gli toccò scendere per saltarlo a piedi, con la bicicletta in collo.

"Maledetti," bestemmiò con la cicca fra i denti. E si riferiva ai legnaioli della segheria che lo avevano perso lì, senza darsi preoccupazione di scendere dal barroccio e ricaricarlo. Ma non era ancora di là, con la bicicletta sulle spalle, quando scattò su qualcuno che non aveva visto, perché ci stava rimpiattato di dietro, disteso.

"Non l'ho riconosciuto!" bestemmiava Venerio picchiando la mano sul tavolo. "In quel buiore!"

Prima che avesse il tempo di accorgersene era già per terra, abbracciato alla bicicletta.

"Non ti ammazzo perché mi fai schifo," disse la voce, "ma hai una rivoltella puntata addosso."

Il biondastro, che era coraggioso solo in compagnia, sentì un rimescolio nell'intestino.

"Sorti di sotto la bicicletta," disse la voce, "e mettiti contro il palo della luce, in piedi."

Ubbidì lesto, inciampando fra i raggi delle ruote

per far prima. Non c'era un briciolo di luna, la voce era una sagoma.

"Mi ha fatto togliere i calzoni. Le mani le avevo libere, ma non mi potevo muovere perché mi aveva passato una fune sulla vita." E Venerio si passava una mano nervosa sulla testa pelata, pieno di bile.

La voce si spostò di qualche metro, verso il ciglio della strada. Diceva: stai buono e non gridare, che ritorno subito. Tornò con un secchiello che faceva un rumore d'olio, sciabordando. Poi la voce non disse più niente: si munì di pennello e attaccò a spargere la pece, partendo dai capelli.

"Mi fai affogare," piangeva il biondastro respirando di naso.

Il pennello gli dette una mano sulla lingua, per chetarla. Le parti basse gliele fece a scialbo, tenendo il secchiello con una mano per il manico e con l'altra per il fondo. Poi la voce se ne andò con la bicicletta e fece tre o quattro scampanellate a presa di giro, mentre pedalava fischiettando sullo stradone.

Melchiorre represse un sorriso, si portò la mano alla bocca e fece finta di sbadigliare. Lo sapeva benissimo chi era stato. Ma non ebbe voglia di dirlo. E sentì che non era per paura, questa volta, e se ne compiacque.

24. *Il lichene della Regina Luana*

Melchiorre aveva due cose da difendere: la sua fede cattolica e i possedimenti della Fattoria Vecchia, di cui si sentiva coproprietario in virtù di una discendenza di fattori. Ma era diventato fascista non tanto perché i bolscevichi erano atei e volevano distruggere la proprietà, quanto per cercare compagnia. Sperava che la militanza politica avrebbe favorito quel calore umano dato dall'amicizia vanamente inseguito negli anni universitari, anche se sentiva di non aver niente da spartire con quei giovanotti maneschi e spavaldi che organizzavano spedizioni punitive: la violenza lo atterriva e la vista del sangue gli dava svenimenti. Tutte le domeniche andava alle esercitazioni ginniche, e sudava abbondantemente nella camicia nera. Il salto nel cerchio non l'avrebbe mai tentato, e si limitava ad alzare le braccia, a far saltelli, a muovere il capo a tempo. Delle cose fasciste ciò che amava di più erano le canzoni, perché parlavano di uomini come avrebbe desiderato essere; ma cantarle non gli riusciva, sia perché aveva poca memoria per le parole, sia per un pudore innato che gli impediva di cantare in pubblico. Preferiva fischiettarle mentre tornava a casa in motocicletta, con gli occhialoni con cui si proteggeva dalla polvere e dai moschini. In quei momenti di sentiva orgoglioso della sua scelta, forse persino felice. Imboccava lo stradone bianco che portava diritto alla Fattoria, mentre gli alberi gli correvano accanto con un rumore di soffio, e la motocicletta gli faceva perdere quel senso greve che lo zavorrava quando aveva i piedi sulla terra. Cominciava a fischiettare e accelerava nell'abbrivo delle curve; sognava l'Africa e i deserti, che conosceva dai romanzi e dalle illustrazioni: le palme, le distese di sabbia dorata con palazzi di mattoni abitati da regine misteriose chiamate a tavola da gong di bronzo, tesori sepolti in caverne, foreste piene di avventure. Scriveva in segreto racconti esotici e ne aveva già pubblicato uno in due puntate sull'edizione domenicale della *Tribuna della Riviera*, con lo pseudonimo di Melchi. Era a sfondo autobiografico, ed aveva per protagonista Italo Ferro, un giovane scienziato italiano. Frugando in soffitta fra vecchi bauli di famiglia,

Italo aveva rinvenuto le carte e il diario di un suo antenato, intraprendente esploratore dell'Africa Australe, ed aveva appreso con meraviglia che una misteriosa popolazione del deserto guariva la malattia della sete inestinguibile con un lichene rarissimo che cresceva negli anfratti scoscesi di quelle inospitali montagne. Pensando che dalla pianta si potesse estrarre un prezioso elisir, Italo si era imbarcato per l'Africa misteriosa. Il primo episodio si arrestava a questo punto, promettendo mirabolanti avventure. Il secondo episodio iniziava con Italo in viaggio attraverso l'Atlante, braccato dalle guardie della Regina Luana, una donna sanguinaria e bellissima, che dopo averlo fatto prigioniero cercava di farlo parlare adescandolo con le sue grazie. La parte centrale descriveva il trionfo di Italo che, riuscito a liberarsi grazie alla dedizione della schiava Nubia, non solo riusciva ad estrarre dal lichene un prezioso farmaco per curare il diabete, ma portava la luce della civiltà di Roma al popolo oppresso dalla tirannica regina. Il finale del racconto, che Melchiorre considerava la parte più riuscita, sebbene modellata sull'Eneide, descriveva il suicidio di Luana, che oramai ripudiata dal suo popolo e ferita nell'amore, si lasciava bruciare viva su una pira di legni aromatici mentre il suo palazzo, scosso da un terremoto biblico, periva con lei.

Con questo racconto a puntate Melchiorre aveva vinto in segreto una targa d'argento con due barche a vela e un fascio littorio messa in palio dalla *Tribuna della Riviera*; ed ora stava scrivendo un terzo episodio di Italo alle prese con una tribù di negri piccoli e lascivi che andavano a rapire ragazze bianche sulla costa per sacrificarle ai loro idoli di pietra. Quando avesse scritto anche questo, Melchiorre pensava di uscire dall'anonimato e di riunire i tre racconti in volume col titolo di quello a cui era più affezionato: *Il lichene della Regina Luana*. Chissà che sorpresa per Asmara e che considerazione fra i camerati. In Federazione lo stimavano perché era ingegnere della Fattoria Vecchia, ma anche per la sua maniera di comportarsi. Parlare poco, non dare giudizi personali ma drastici, considerare le cose dall'alto, erano la migliore maniera di ottenere il rispetto. Melchiorre oramai aveva imparato a indirizzare al proprio tornaconto l'antica timidezza e la paura degli altri.

25. *Te pienso y te quiero*

"Anche qui c'è un certo progresso," scriveva Asmara sulla cartolina con rose telegrafiche che le aveva dato Gavure. "Cosa credi, di aver scoperto l'America? La domenica esco con le amiche e faccio una passeggiata fino in piazza. Hanno ripreso a lavorare al teatro, si chiamerà Splendore. Gavure ha aperto un chiosco proprio sotto il monumento, vende giornali, granite e cartoline, e fa affaroni. Mi hanno fatto una proposta, ma io non l'ho nemmeno presa in considerazione perché ti aspetto, accidenti a te. Tua Asmara."

Le ritornò una cartolina verdognola, con un branco di cavalli. Garibaldo la chiamava Señorita e diceva: *te pienso y te quiero*.

26. *Un po' di mare*

Esperia, nella solitudine, dipinse le pareti di celeste. Si aggirava scalza come su una spiaggia imprigionata, fissando con nostalgia l'orizzonte degli angoli.

27. Tre oroscopi per due

Asmara andò dalla Zelmira per farsi fare l'oroscopo.

"Torna un dopocena di luna," disse la Zelmira.

Asmara ritornò. La Zelmira prese una scodella di crusca e la fece sedere di spalle. Segnò la crusca a lungo, lasciandola scivolare fra le dita e girando il piatto.

"Ci sono due destini diversi," disse, "ma non ti posso dire quale sceglierai."

"Li voglio conoscere," disse Asmara.

"Il primo è che morirai vergine."

"E il secondo?"

"Il secondo è che avrai un figlio che morirà a trent'anni."

Asmara si girò, bianca in viso.

"Fai anche l'oroscopo di Garibaldo."

"È troppo lontano," disse la Zelmira, "non viene giusto. E poi quella è una famiglia di tempo sbandato."

"Ti aiuto a pensare a lui," disse Asmara.

La Zelmira passò un cucchiaio di legno nella crusca e ricominciò a trafficare. La crusca, come se qualcuno ci soffiasse dentro, formò un cono con un buco nel mezzo.

"Garibaldo morirà a trent'anni," disse la Zelmira, "come suo nonno, suo padre e suo figlio."

Asmara le lasciò una bottiglia d'olio e scappò alla porta a precipizio.

"Oddio," disse, "ma se li ha passati da cinque anni!"

"Che ci vuoi fare," disse la Zelmira, "l'oroscopo dice proprio così."

28. *La bocca piena di ghiaia*

Il Guidone tornò di sera in diligenza, perché qualche soldo l'aveva messo da parte, a forza di dare e prendere cazzotti. Aveva un vestito a quadretti molto cittadino che sulle sue spalle era in pericolo di strappo. Se lo era comprato qualche mese prima, in pieno allenamento, e gli stava fin largo: ma erano bastate poche settimane di inattività per far nascere il problema della vestizione. Era ingrassato quanto può ingrassare uno già grosso come il Guidone, sembrava un vitello. Scese in piazza e si guardò intorno, e non gli piacque l'aria che tirava né le occhiate degli sconosciuti che sostavano davanti al caffè. Troppo curiosi. Attraversò la piazza per i fatti suoi, scantonò dietro la chiesa e costeggiò la fornace di mattoni. Bussò alla porta di Gavure sperando in una cena, e invece in casa era già buio. Tornò a bussare.

"Chi è?" sentì dopo qualche minuto.

"Sono Guidone."

E allora Gavure gli aprì.

Il Guidone entrò in una cucina che sapeva di disabitato, coi fornelli spenti, e abbracciò Gavure al buio, alzandolo da terra.

"Madonna, quanto tempo!"

Ma ormai il Guidone non era in grado di parlare, davanti al pane e alle pere tirate fuori a tutta velocità.

"Ma cosa sono tutte queste precauzioni," riuscì a dire quando il primo boccone ruzzolò giù.

"Prima racconta te," disse Gavure, "poi ti spiego tutto."

E il Guidone, con una voce di denti smossi, raccontò del giapponese che invece di usar le braccia usava la fronte e con una testata gli aveva rovinato la carriera.

"Mi pare d'avere la bocca piena di ghiaia, non lo vedi?"

E sollevandosi le labbra con le dita, come si fa ai cavalli, mostrava i denti superstiti, gialli e dimenanti.

29. Forse Cabiria

Borgo stava diventando una città. Al teatro ci lavoravano speditamente; aveva già la facciata completa, con un cornicione neoclassico e la Vittoria di Samotracia che indicava il nome a lettere di gesso in rilievo: *Splendore*. Avrebbe aperto, si diceva, per il prossimo carnevale, con *Il paese dei campanelli* e forse un film: *Cabiria*. Pendeva già, accanto al portone chiuso da due tavoloni incrociati, il manifesto di una donna vestita di candido, con le mani intrecciate e gli occhi strabuzzati, sullo sfondo di una città in fiamme.

Gavure aveva innalzato un chiosco di latta celestina dalle cornici traforate, sul lato della piazza da cui si vedevano le spalle di Garibaldi e del re. Stava appollaiato su una pedana che lo metteva allo stesso livello dei compratori che si affacciavano al finestrino per chiedere il giornale. Quando Asmara vi andò, quel mattino in cui si celebrava una festa del nuovo regime, Gavure le fece un ammicco curioso, frugando nel pacco dei giornali. Le offrì un'altra cartolina con due rose su un telegramma che diceva *ti ricordo* e mormorò:

"Salutami Garibaldo, quando gli scrivi".

Poi si guardò attorno sospettoso e le dette una voluminosa busta gialla.

"Aprila solo a casa, e quando hai letto mandala a Garibaldo."

Garibaldo ricevette a Buenos Aires dieci copie di un giornale clandestino. C'era scritto a tutta pagina che il popolo italiano non si lasciava soffocare dal laccio della dittatura, e che si preparava il contrattacco. Sui giornali c'era appiccicato un bigliettino scritto a matita:

"Altro che andata e ritorno. Ne è passato del tempo con quest'andata e ritorno. Tua madre è rimbambita e dice che ha il fuoco sulle dita. Noi qui si fa del nostro meglio. Ma restaci pure quanto ti pare, tanto l'oroscopo dipende da me, e non m'importa di morire vergine. La tua senorita del cavolo".

30. *Le fiammelle si spengono*

Esperia capì benissimo che era arrivata la sua ultima notte. Le confermò l'intuizione la civetta che venne a posarsi sul camino: era l'unica persona in casa, e l'annuncio non poteva essere che per lei. Si vestì a puntino, perché la Zelmira non avesse troppo da fare, fece un altro nodo al cordone della croce di guerra tante volte non avesse a sciogliersi, quando l'avrebbero maneggiata per incassarla. Aprì la finestra perché entrasse la notte in camera e si sdraiò sul letto. Le fiammelle delle dita cominciavano a spegnersi, come se mancasse combustibile.

Garibaldo apprese la notizia alla locanda Vesuvio di Buenos Aires, dove aveva lasciato il recapito, con un mese di ritardo, rientrando da una tournée.

"È morta in odore di santità," scriveva la Zelmira con tassa a carico.

31. *Due bauli di lenzuola*

Si annunciò ad Asmara con la fisarmonica argentina, aprendo il mantice sulle prime note di un tango assassino. Lei corse fuori all'impazzata, treppicando i cespugli di rose. Si baciarono a perdifiato, comprimendo la fisarmonica.

"Ho due bauli di lenzuola," disse lei quando si staccò.

Garibaldo restò a cena per finire di raccontare l'Argentina. La zia, a capotavola, galleggiava nella sua sordità, annuendo. Fu una cena lunghissima, un boccone e una frase.

"Mangia che ti ghiaccia, giovanotto," diceva la zia.

L'episodio più spinoso da raccontare fu la tournée a Rosario, come camionista di una compagnia di rivista francese, dove gli era toccato sostituire il cantante che aveva la tonsillite.

"Chissà quante corna mi hai fatto," sbottò Asmara.

"Macché, ho solo imparato la musica." E fece un pezzo di bravura, una mazurca. Avrebbe voluto restare per la notte, ma Asmara l'accompagnò al cancello.

"Non siamo più bambini," implorò Garibaldo.

"Devo rompere un oroscopo," tagliò Asmara.

"Ma che oroscopo?"

"Abbi pazienza," disse spingendolo via.

Si baciarono sul cancello per altri due anni. Garibaldo lavorava come autista all'azienda agricola della Fattoria Vecchia, trasportava ortaggi e legumi sui mercati e al nodo ferroviario. La domenica portava Asmara allo *Sparviero Danze*, sulla via principale, dove si esibivano in tanghi sudorosi e applauditissimi. In luglio, per le trebbie, andavano per le aie, dove Garibaldo pigiava sulla fisarmonica. Faceva canzoni di festa e ballabili conosciuti, ma se il posto era sicuro attaccava *Addio Lugano bella*.

Con Gavure si vedevano rade sere. Veniva a casa di Asmara, a volte, per fare uno spuntino e discorrere, ma non era più come una volta. Come se avesse perso la rabbia e la foga. Era guardingo, stava seduto su un cuscino di spilli, diceva in fretta buona notte; passava una motocicletta, e via alla finestra a guardare. Spesso era la moto di Melchiorre, che se vedeva le due biciclette al cancello tirava a diritto con una sgassata.

"Gavure, la politica ti rode," diceva Garibaldo.

E Gavure scoteva la testa impacciato, come a un complimento. Poi restava con gli occhi persi sul pavimento, depresso da qualcosa che non voleva dire.

"Con la vostra melina non ci si cava i piedi da questa merda," diceva Garibaldo. "Le bombe, ci vuole."

E Gavure zitto, sicuro della sua ragione. Finché una sera rispose:

"Verrà il tempo anche per questo". E aveva un viso triste, di chi sa come andrebbero le cose.

"Ci stiamo preparando," disse, "vieni con noi e vedrai."

"No che non ci vengo," disse Garibaldo. "Mi garba fare di testa mia, non li voglio altri padroni."

Gavure non rispose niente e se ne andò remissivo senza ritornare sull'argomento. Ma Asmara era inviperita, sbatteva i piatti, e zitta.

"Ma che ci hai," disse Garibaldo, "che ci hai?"

"Non dovevi dire così," fece Asmara. "Gavure non ha padroni. Ricordati che da soli si resta soli, e soli non si fa niente di niente."

"Chetati," disse Garibaldo, "cosa vuoi capire te di queste cose."

Asmara illividì e lo spinse fuori.

"Vai via, fammi il piacere, perché stasera non ti sopporto. Ti credi bravo perché pisci al muro."

Gavure prese a non venire più. Garibaldo se ne

angustiava, ma non diceva niente per puntiglio. Quando passava davanti al chiosco lo salutava di sfuggita: "Viva!".

Oppure andava a comprare il giornale. Facevano i sostenuti, ma tutti e due avevano voglia di dire: "Quando ci si vede?".

E non lo dicevano.

32. Un altro cambio

Arrivarono su due macchine, cantando Giovinezza. Erano una decina di giovinastri con la nappa e la morte sul colletto. Imbracarono con le funi la statua del re che al primo strattone piombò al suolo in una nuvoletta di polvere, senza fare resistenza. Garibaldi per alcune notti, offrì l'Italia alla barberia dirimpetto.

Qualche settimana dopo ci fu un comunicato della federazione che condannava il gesto degli "ignoti vandali" e proponeva il rimpiazzo della statua sottratta. Arrivò col treno un cassone FRAGILE, lungo come una cassa da morto, che fu aperto al cospetto del podestà.

Il Duce, a torso nudo e con l'elmetto in testa, teneva il mento all'insù e pareva che Garibaldi gli facesse un gran favore a offrirgli l'Italia.

33. Un impero sui francobolli

Qualche bambino nato in quei giorni si prese il nome di Macallè. I francobolli descrivevano imperi meravigliosi.

"*Col moschetto e col pugnale andrò in Africa Orientale...*" canticchiava Melchiorre.

Aveva preso a venire tutti i sabati; arrivava col vestito bianco, perché la montura di federale gli pareva indelicata. Bussava il suo permesso timido, ogni volta di più attutito dal grasso malsano delle nocche. Appendeva il suo cappello alla porta d'ingresso, per di dentro, e sedeva in punta di seggiola monologando con la zia riparata dalle sue pareti di sordità. Annusava il sigaro e con gli occhi persi inseguiva il ricamo di Asmara sul tamburello. Per il silenzio si poteva sentire l'ago che forava la stoffa tesa come una membrana. Spesso cercava di fischiettare marcette coloniali che sulle sue labbra diventavano melodie bolse e malinconiche. Asmara gli lanciava un'occhiata perentoria e il fischio si spengeva per mancanza di fiato.

"Lei non capisce, dobbiamo conquistare la quarta sponda."

Le mani sudaticce si aggrappavano disperatamente al sigaro, inzuppandolo.

"Perché non ci vai anche te in Africa, invece di venir qui a fare la melina," replicava Asmara.

Il sigaro era gonfio di sudore e la foglia di tabacco che lo rivestiva si staccava in un nastro arricciato. Melchiorre si guardava le scarpe, disanimato.

"Non ho potuto, per via del diabete."

Asmara doveva ascoltarlo parlare malinconicamente di afriche conosciute attraverso la propaganda: il tè e le banane, la quarta sponda, le grandi cascate, la civiltà di Roma. Avrebbe voluto mandarlo via, ma non aveva animo: e non tanto perché avesse paura di una vendetta su Garibaldo.

A volte veniva a veglia la Zelmira, in un bossolo d'anni che la difendeva dalla morte. Le era rimasta una voce sopravvissuta dalla sua giovinezza e che lei risparmiava, preferendo gli ammicchi. Portava il suo olio nella scodella e segnava i fascisti nel silenzio del dopocena.

"Merda di cane. Merda di cane."

Dette loro tanti malocchi che da un giorno all'altro ci doveva prendere la morìa.

"Vi dovete concentrare sul caporione, piuttosto," le diceva Asmara.

"Quello lì solo con un cappio al collo!" e la Zelmira rideva di gengive.

34. Guadalajara

I giornali magnificarono il Nibbio delle Baleari, che volava fra nugoli di aeroplani dei rossi, schivava le mitragliate, all'improvviso faceva una piroetta e li attaccava alle spalle: e per i rossi non c'era più niente da fare.

"Non ce la fanno," diceva Asmara.

Garibaldo ricevette una lettera via Marsiglia. Veniva da Guadalajara, senza data:

"Montero Primero quebró su filo. No pasarán. Montero Segundo".

Allora Garibaldo ruppe gli indugi e andò diritto da Gavure. Lo trovò al chiosco, come sempre.

"Gavure," disse. "Smettiamola con le ragazzate. Io parto, non ce la faccio più a stare qui."

E fece vedere la lettera.

Gavure aveva un viso rassegnato, chiudeva il chiosco con le saracinesche, in punta di piedi.

"Ma dove vuoi andare," disse. "Questa lettera è vecchia, Barcellona è caduta ieri. Se non credi ai giornali fascisti guarda questo."

E aprì un giornale vero, tirandolo da sotto la giacca. Stavano in mezzo alla piazza, passava gente.

"Chiudi cotesto giornale," disse Garibaldo, "se te lo vedono ti fanno la pelle."

"Cosa vuoi che me ne importi," disse Gavure.

35. *Ci vuole volontà*

"Ci conosciamo da vent'anni," disse Garibaldo, "e siamo fidanzati da quindici. Vuoi che invecchiamo in bianco?"

Era un argomento che Asmara sfuggiva, o se ne adombrava.

"Io ho i miei principi," diceva, "e guarda di non offendermi."

Garibaldo non la voleva offendere: ma potevano anche sposarsi; cosa ci stavano a fare, come due ragazzini, a far la veglia la sera attorno alla tavola.

"È sempre bene conoscersi a tempo," rispondeva Asmara, "sennò i matrimoni vanno a rotoli."

Oppure:

"Alle nozze i confetti, il giorno dopo i difetti".

"Se i miei difetti non li hai conosciuti in vent'anni," disse Garibaldo, "vuol dire che non li conoscerai più, perché io mi sono rotto le scatole con questa musica. Prendo e me ne vado."

Asmara vacillò di sgomento. Sapeva com'era Garibaldo, e se lo pigliava la mattìa era capace di piantar tutto e fare fagotto. Era fatto così.

"Se non ti sposo ora," disse Asmara, "ci ho le mie ragioni. Ma tu abbi un po' di pazienza, solo un po', perché il momento è vicino. Ho trovato una maniera."

"Una maniera di che? Ma ti vuoi spiegare con questi rebus?"

"Una maniera," disse Asmara. "Una maniera. Vedrai, vedrai. Ci vuole volontà."

E lo mandò via con dolcezza, sicura che avrebbe aspettato.

36. La carità non avrà mai fine

"Fratelli, aspirate ai carismi più grandi! Ed io vi mostrerò una via anche più eccellente. Qualora parlassi le lingue degli uomini e degli Angeli, ma non avessi la carità, sarei come un bronzo sonante, o un cembalo squillante. E se anche avessi il dono della profezia e conoscessi tutti i misteri e tutta la scienza, ma non avessi la carità, sarei un nulla. E se anche distribuissi tutte le mie sostanze, e dessi il mio corpo per essere bruciato, ma non avessi la carità, niente mi gioverebbe. È magnanima la carità, è benigna la carità; non è invidiosa la carità, non si vanta, non si gonfia, non manca di rispetto, non cerca il suo interesse, non si adira, non tiene conto del male ricevuto, non gode dell'ingiustizia, ma si compiace della verità; tutto scusa, tutto crede, tutto spera, tutto sopporta. La carità non avrà mai fine."

Don Milvio smise di leggere e guardò fuori dalla finestra. Era il pezzo che aveva preparato per la prossima predica domenicale: la prima epistola di san Paolo ai Corinzi. Guardando i cani randagi che si rincorrevano sul sagrato pensò che gli anni a Borgo dovevano essere di molti mesi in meno del normale. Gli pareva l'inverno passato, quando aveva inventato la macchina idraulica dell'uguaglianza e in una risorsa disperata si era affacciato alla finestra per chiamare Garibaldo. Invece erano passati quasi quarant'anni, all'uguaglianza era seguito un perfezionamento d'appendice, la giustizia, e un altro uomo era morto di violenza e sopraffazione, ammazzato a bastonate.

Don Milvio strappò in pezzettini minuti il foglio con l'epistola di san Paolo e li buttò dalla finestra divertendosi a guardarli volteggiare nell'aria come coriandoli. Con affanno, quasi con disperazione, si mise a pensare con che cosa avrebbe potuto sostituirla.

Pensò e pensò, e non trovò niente. E allora decise che sarebbe stato zitto: ecco, proprio zitto.

37. *Un crac d'addio*

Era una notte piena di grilli, con una luna congestionata che prometteva spesse calure. Garibaldo si alzò in mutande, con le molle del fuoco in mano, e aprì la porta ai gemiti grattati: tante volte. Invece era Asmara e non riusciva nemmeno a singhiozzare, aveva la voce piena di sabbia.

"I fascisti hanno picchiato Gavure."

Dovette trascinarla dentro, quasi che dopo il messaggio il suo compito fosse finito e potesse finalmente diventare di pietra, come aveva voglia.

"Spiegati meglio, com'è successo?"

L'avevano portato nella bonifica, per picchiarlo a sangue, e la sera un'automobile lo aveva scaricato in piazza privo di conoscenza. Non aveva retto, per la sua costituzione. Era in agonia.

"Il dottore non si vuol muovere di casa, dice di avere la febbre. Lo ha visto la Zelmira, dice che è questione di poco. Ti vuole, fra i rantoli."

Garibaldo uscì con la bicicletta nella notte. I due vecchi piangevano col capo sulla tavola. La Zelmira, accoccolata su una sedia bassa, recitava una litania di sibilanti, per via delle gengive orfane. Entrò nella penombra della camera e si fece largo fra la nebbia di sudore freddo che velava le ciglia di Gavure. Avvicinò l'orecchio alle labbra spaccate, per cogliere il significato del rantolo. Aveva un sorriso ironico, o forse una smorfia per dire.

"L'unico favore che mi potevano fare non gli è riuscito."

Garibaldo lo guardò interrogativo. Passò il tempo, era diventato buio, lo stoppino moriva. Gavure alzò a fatica una mano aperta e tagliò l'aria di piatto.

"Addirizzami."

Aspettò che morisse tenendogli la mano, con la promessa di aver capito. Scese dabbasso, nel sottoscala, e prese il mazzolo.

"Voi non salite," disse ai vecchi. "È un servizio che ha chiesto a me solo."

Lo mise bocconi. Gavure pesava quanto un sughero. Preferì andare a tatto, senza accendere il lume che si era affogato. Fasciò il mazzolo con una coperta, per non ferirlo, e vibrò la mazzata guardando, fuori dalla finestra, la luna che si spengeva dietro il monastero. Gavure si addirizzò con un *crac* sordo, distese il torace, sciolse le membra. Crebbe.

Lo baciò sulla fronte, mentre lo adagiava sul cuscino.

38. *Cento copie*

Il tipografo continuava a giocare coi cubetti di piombo, come se la conversazione non lo riguardasse.

"Qui facciamo solo manifesti autorizzati, giovanotto. Lei sta facendo insinuazioni."

"Senti," disse Garibaldo, "le chiacchiere non fanno farina. Il Vuretti l'hanno ammazzato iersera, a calci in faccia."

"Sono dolente," rispose la visiera abbassata. "Ma se c'erano dei motivi politici questo non è il posto per cercarli. Qui ci veniva solo per lavorare."

Garibaldo lo afferrò per il colletto e lo tirò su dallo sgabello.

"Lo so io che lavoro faceva, coglione!" gridò. "E

smetti di pigliarmi per il culo, perché non sono venuto qui a far merenda."

Lo lasciò andare di peso e la visiera si riabbassò. "Cosa vuoi?"

"I collegamenti per il comune di Borgo da oggi li tengo io. E ora spiegami cosa devo fare, e non mi parlare di politica, che io coi padroni ce l'ho per famiglia, più che per idea."

La visiera si alzò e si avviò verso un armadio a muro che aveva una botola al posto del fondo. Scesero per una scala a pioli in una cantina.

"Ecco qua," disse la visiera mostrando una pila di giornali. "Te ne spettano cinquanta."

"Ne posso portare anche il doppio," disse Garibaldo.

La visiera fece una smorfia.

"Non fare troppo il bravo, che è la prima sera. Prima impara. È una merce che si piazza male. Il Vuretti li distribuiva anche dal chiosco, tu dovrai portarli in giro."

"E i nominativi?" chiese Garibaldo.

La visiera si abbassò di nuovo.

"Giovanotto, vuoi anche un altoparlante per metterti in piazza a far pubblicità?" disse con voce chioccia. "Vai, sparisci. E arrangiati, che scemo non sembri."

Ma prima che uscisse la visiera lo richiamò. Aveva in mano un cubetto di piombo con la lettera C, rotto a metà.

"A Borgo," disse, "c'è un altro collegamento. Se viene uno con l'altra metà, è lui. Ma io non so chi è, e può anche darsi che non si faccia vivo, che non si voglia esporre."

39. *Si apre con una farsa tragica*

Lo Splendore era finito. Lo avevano fatto cineteatro, con uno schermo incassato nel palco e due festoni di fiori e frutta dipinti ai lati. La platea era di legno, con seggioline numerate sulle spalliere da targhette di smalto azzurrino, come occhi; i dispari a sinistra, i pari a destra: trecento posti. E una galleria con balconata di ferro dipinto. Si sentì dire:

"Lo inaugurano questa settimana".

"Quando?"

"Il giorno tal dei tali."

E si pensava: cosa daranno? Un filme, un teatro? E semmai che teatro sarà: una commedia da ridere, un dramma, una farsa? Non c'era modo di saperlo. Poi apparve il cartello di Cabiria con gli occhi strabuzzati, un po' ingiallito e gualcito agli angoli.

"La danno! Questa volta la danno per davvero, Cabiria!"

Asmara, la sera prima, era emozionata. Ricamava in fretta un colletto azzurro che voleva mettere per l'occasione.

"È un filme fascista," disse Garibaldo. "Il filme di un fascista. Che ci vai a fare."

"A me il cinema piace," rispose Asmara, "e ne ho visto così poco."

L'indomani la piazza era popolata. C'era anche folla forestiera, dei paesi vicini. Molti erano vestiti bene, si parlava di tutto. Il cinema dava euforia. Ma lo Splendore restava chiuso. Avevano attaccato un altoparlante al collo della Vittoria di Samotracia, e pareva dovesse annunciare da un momento all'altro:

"Si dichiara aperto il Cineteatro Splendore!".

Invece si sentì un vocione slittante, e la piazza ammutolì, presa a tradimento. Le prime parole erano:

"Combattenti di terra, di mare!"

Fu il primo spettacolo dello Splendore. E fu anche l'ultimo, perché era scoppiata la guerra.

40. *Conta più la causa della fidanzata*

Passò un anno difficile, di sudori freddi e di soprassalti, ma il collegamento non si fece vivo. A volte aveva paura di dormire in casa e andava a dormire in fienile, portandosi dietro la pistola a tamburo che aveva comprato nel circo francese. Asmara gli leggeva sul viso le angustie, lo interrogava con preoccupazione.

"Cos'hai, Garibaldo, parlami, confidati."

"Lasciami perdere," rispondeva Garibaldo. "Ho fortori di stomaco."

Una sera, rientrando, trovò un biglietto sotto la porta. Lo aprì con timore, aspettando chissà che. Invece era il collegamento che scriveva a stampatello.

NON MI VA DI FARMI CONOSCERE DA TE. SABATO PROSSIMO LASCIA METÀ DEI GIORNALI NEL GIARDINO DELL'ASMARA, SOTTO IL CESPUGLIO DI ROSE.

FIRMATO: IL COLLEGAMENTO DI BORGO

Passò una settimana d'angustia. Era un trucco? E poi, il collegamento lo conosceva bene, sapeva che Asmara era la sua donna. Perché sceglieva proprio quel luogo, per ritirare il materiale, in maniera da compromettere una terza persona, se fossero stati scoperti? Decise per il no.

Ma la settimana dopo, rientrando, trovò un biglietto più perentorio:

Pezzo di deficiente. Ho fatto questo lavoro per dieci anni con Gavure ed è sempre andato tutto liscio, e ora

arrivi tu e ti permetti di fare di testa tua. Lascia i gior-
nali dove ti ho detto, cretino, e sappi che la causa è più
importante della fidanzata.

Non gli restò che ubbidire. Fra l'altro era nel buio
più assoluto: per un po' di tempo aveva pensato al
Guidone, ma lui non poteva essere davvero, perché
l'avevano mandato in Russia.

41. *Un cappello sulla porta*

"Lei sa dov'è e me lo deve dire."
Melchiorre stava a gambe larghe sulla porta, bar-
collava come ubriaco. Ma Asmara vide che era rabbia
e invidia e amore senza sfogo.
"Vieni dentro, scemo," disse Asmara.
Si sedette da gerarca, per la prima volta in quella
desiderata casa ostile: con le gambe incrociate e una
mano sul panciotto.
"La prevengo che non sono venuto in visita ami-
chevole. Ho denunciato Garibaldo al comando tedesco. Per sovversione."
Asmara gli si fece sotto e gli mollò un ceffone.
"Asmara," balbettò Melchiorre pallido.
Con le dita umide frugava nel taschino in cerca
della salvezza del sigaro. Asmara gli mollò un altro
ceffone e Melchiorre si raggomitolò tremando. Sentì
che le abbracciava mollemente le gambe, piangendo.
Diceva che non ne poteva più, ce lo aveva costretto,
aveva abusato, quel pezzente, coi tedeschi qui, che figura ci faceva, ogni giorno i manifesti sul monumento a chiamarli assassini, a sfottere, a incitare alla ribel-
lione.
"Alzati," disse Asmara. "Alzati e vattene."

Melchiorre si ricompose, si lisciò i capelli spettinati, si guardò allo specchio.

"Asmara, io... in tutti questi anni non ho mai trovato il coraggio di dirle..."

"Vattene," disse Asmara, "vattene." Aveva le forbici in mano e le fece schioccare.

"Vattene prima che faccia una stupidaggine, che non mi voglio sporcare le mani."

Melchiorre dimenticò il cappello al chiodo dell'ingresso.

42. *Pane e frittata*

"Ti cercano," disse Asmara funesta. "Se ti pigliano ti fanno la pelle."

Garibaldo accese una sigaretta e con lo sguardo si inerpicò in cima al monte.

"La settimana passata," disse, "ho sognato che si faceva l'amore."

"Mi sa che ci siamo vicini," rispose Asmara. "Ho dei disturbi che ti potrebbero dare ragione. Abbi pazienza ancora un po'."

"Ma che differenza c'è," insistette Garibaldo.

"Ho un oroscopo da rompere, non ti posso dire di più."

Garibaldo non si muoveva dal cancello.

"Lo vuoi capire che ti cercano?"

"Che mi trovino, quei figli di puttana. Vedrai che ammattiscono."

Lo cercarono per tutto il paese, con furia, centimetro per centimetro. Il federale girava il paese con gli stivali impazziti, battendo i tacchi. Dettero aria a cantine chiuse da ragnatele secolari, frugarono in botti piene di topi, perforarono tutti i materassi di Borgo; Garibaldo non c'era.

Asmara lo andava a trovare tutte le sere. Deponeva le rose davanti al ritratto di Quarto e s'inginocchiava per conversare pregando.

"Ci sono novità?" chiedeva Garibaldo dall'altra parte della lapide.

"Siamo soli, alla loro mercé. Rastrellano, hanno portato via gli uomini. Trovano uno schioppo di cinquant'anni e fucilano. Li portano in bonifica, e dopo morti li buttano nei fossi. Te piuttosto come stai?"

"Dormo bene. La cassetta di Quarto occupa poco spazio. Lo dovettero fare proprio a pezzettini."

"Hai appetito?"

"Cosa mi hai portato?"

"Pane e frittata."

Quand'era notte Garibaldo girava la lapide, tuffava la mano fra le rose e ritirava pane e frittata. Se non c'era chiar di luna si permetteva anche una passeggiatina fra le tombe e andava a fare i suoi bisogni oltre il muro. Una sera chiese carta e penna.

"Ma come fai a scrivere," disse Asmara.

"Ho una candela, non ti preoccupare."

Asmara impostò per Melchiorre. Garibaldo aveva preferito una cartolina, così la leggeva anche il postino e la raccontava a tutto il paese.

Figlio di troia d'un federale
è vicino il tempo del tuo funerale.

Garibaldo

"Melchiorre sembra impazzito," disse Asmara due sere dopo.

Il federale era proprio impazzito. Stava a letto, e

per la rabbia il corpo gli si era gonfiato di fiati verda-
stri. Pareva un rospo, con quel buzzone.

"Hanno fatto i bandi," disse Asmara.

"I bandi?"

"Sì, sono attaccati a tutti i muri del paese. Sono
pane e cacio coi tedeschi, prendono tutti, anche i vecchi."

Garibaldo sentì un senso di soffocamento, in quel
compartimento stagno.

"Sui monti ci sono i partigiani," continuò Asmara.
"Se li raggiungi non ti prendono più. È ritornato il
Guidone dalla Russia, con una friulana. Don Milvio li
ha nascosti in canonica, stanotte raggiungono i partigiani."

"Parto anch'io," disse Garibaldo.

"Prima passa a salutarmi," disse Asmara. "Ho una
sorpresa per te."

43. *Cinquanta chili*

Il Guidone veniva avanti con le scarpe coperte di
autentica polvere russa che avrebbe portato fino a casa, se ci fosse arrivato: scongiuro, forse, o maledizio-
ne; o per conservare da un effimero ricordo quella
faccia senza paese di un soldato russo in perfetto stato
di conservazione grazie al gelo che lo vetrificava, che
gli aveva regalato quelle scarpe con un'offerta dei piedi divaricati a puntare come aghi della bussola verso
l'occidente.

Si fermò a considerare la sua magrezza e pensò
che avrebbe potuto spiccare il volo contro vento, se
solo si fosse tolto le scarpe, e adagiarsi in una caduta
libera lungo il burrone che prometteva un materasso
di nebbie. Ma non lo fece: lasciò cadere in sua vece

uno zampillo d'orina e sorrise a nessuno un sorriso pieno di buchi. Un Guidone di cinquanta chili non era più Guidone, ma il sentiero che scendeva nella neve era già la strada di casa, e il camino che fumava nella valle era italiano.

Ignuda, vicino al fuoco e controluce, la virilità del Guidone spiccava mostruosamente sulla magrezza.

"Ce l'hai grosso come le gambe," disse la friulana deliziata di spavento.

"È le gambe che sono magre," rispose il Guidone, tremando nella coperta.

"Puoi restare," disse la friulana, "ma mica gratis."

"E con cosa ti pago," disse il Guidone.

La friulana ammiccò il letto.

"Vivo sempre sola, di qui non passa mai nessuno, anche prima della guerra passava gente di rado, ma ora, poi..."

"Credo che non ce la faccio," disse il Guidone, "non ci ho né la forza né lo spirito."

"Vediamo dopo cena," disse la friulana.

Col vino e col fuoco la virilità del Guidone dimenticò il freddo russo e la magrezza. La friulana trascinò il letto davanti al camino e si sdraiò con un cuscino sul petto.

"Cosa fai," disse il Guidone.

"Mi faresti male, con tutte codeste costole."

Il Guidone si stese su di lei, combattuto fra la promessa del guanciale e il desiderio di donna.

"Non ci arrivo," tentò di obiettare.

"Altro che!" rise la friulana inarcando la schiena, e lo abbracciò.

La sera che entrarono in Borgo e andarono dritti da Asmara, il loro figlio sarebbe nato fra sei mesi. Ed era destinato a nascere in un casolare peggiore di quello in cui era vissuta sua madre; aperto ai venti dei monti, dove i partigiani avevano fatto un deposito di viveri.

44. *Un giorno d'erba*

Era una notte di luna crescente, con un chiarore collaborazionista che inondava il camposanto. Garibaldo si apprestava a uscire quando sentì il cigolio del cancello d'ingresso. Non poteva essere Asmara che tornava indietro. Asmara passava sempre dalla porticina laterale che dava sulla fossa comune, fra i cipressi e l'erba alta, e di lì imboccava il sentiero che prendeva il paese alle spalle. Incollò l'occhio al forellino sotto il lume, ma il campo visivo era uno stretto cerchio che focava le cappelle e il bugigattolo dove il guardiano vendeva garofani e candele il giorno dei morti. Il marmo eretto sul pavimento vuoto del corridoio gli portò i passi. Quattro o cinque uomini. Il rumore diventò una vibrazione leggerissima che dava il pizzicorino all'orecchio incollato alla lapide, e il forellino si oscurò per un corpo troppo vicino.

"È questa?" comandò una voce ufficialesca in buon italiano.

"È questa," rispose bolsa una voce in italiano normale. La voce tirò su di naso e scaracchiò.

Garibaldo sentì un'acqua gelida che gli scorreva a rivoli nella schiena e sotto le ascelle. Man mano che l'acqua scendeva gli paralizzava il corpo. Provò a muovere le dita, ma erano anchilosate, di marmo. Il terrore gli dette il suggerimento di un'inutile lucidità.

"È una pensata di Melchiorre. È riuscito a indovinare, il bastardo."

"Abbattete," disse la voce tedesca.

Il primo colpo di calcio di moschetto si propagò direttamente dal marmo ai suoi denti.

"Più svelti," disse la voce tedesca.

La gragnola dei colpi passava direttamente dal marmo ai suoi denti, attraverso il cervello, come tante scariche elettriche. Sentì, con la stessa lucidità che gli aveva suggerito il nome del suo delatore, l'inutile rabbia di farsi trovare duro come uno stoccafisso, incapace di muovere un dito.

"È la tensione nervosa," pensò oziosamente. "In fondo li aspettavo tutte le sere."

La luce della torcia elettrica si insinuò nel forellino e proiettò un raggio finissimo che segò in due il parallelepipedo della tomba.

"Non c'è nessuno," disse la voce bolsa.

"Tirare fuori la bara," tagliò la lama della voce tedesca.

Solo allora Garibaldo capì che cercavano nella tomba accanto. Quel bastardo di Melchiorre si era sbagliato, aveva indicato la tomba di suo padre. L'acqua gelida, all'improvviso, diventò così calda che fu avvolto da una nuvola di vapore. Sentì il rumore sordo della bara che cadeva sull'impiantito; rafficò una sventagliata di mitra che fece gemere il legno.

"Aprire," gridò la voce tedesca.

I calci dei moschetti lacerarono il coperchio.

"È lui?" chiese la voce tedesca.

"No," disse un'altra voce, "questo è morto da molto."

"Maiale," disse la voce bolsa. E Garibaldo non capì a chi si riferiva.

Se ne andarono sparando all'impazzata sulle pietre dei corridoi, divertendosi col biliardo macabro delle pallottole che carambolavano sui marmi. Garibaldo si tolse le scarpe e fece girare la lapide; preferiva andare scalzo, perché si era pisciato addosso e le scarpe sciaguattavano. Suo padre, ammazzato due volte, era intatto da vermi e putridume. I capelli gli si erano imbiancati, e aveva ancora in mano l'orologio, stretto in una morsa che neanche i mitra avevano allentato. Garibaldo, con le scarpe in mano, infilò la porticina laterale ed entrò nella buia erba alta. Non aveva spirito di passare da Asmara, e poi era già chiaro verso il mare. Si inoltrò nel campo e si sdraiò fra il miglio, a guardare il cielo che schiariva. Aveva bisogno di un giorno d'erba, dopo tanti giorni di cemento.

45. *Angustia e volontà fanno la donna sterile*

Asmara lo aspettava in salotto, con le finestre oscurate e una camicia da notte ricamata. Quando lo vide entrare sobbalzò; con quel mese di tomba, all'umido, si era fatto più bianco del solito, pareva un fantasma col fuoco sulla testa.

"Ti aspettavo ieri sera."

"Ieri sera non ho potuto."

"Andiamo in camera," disse Asmara.

Il letto era rifatto con le lenzuola ricamate. Garibaldo lo guardò senza capire.

"È arrivato il momento," disse Asmara.

Si fece strappare la verginità appassita sulle lenzuola ricamate, amandolo come un dovere dimenticato, rassegnata alla sua stessa decisione. Infine si decise a parlare.

"Ho infranto gli oroscopi," disse. "Sono vecchia."

"Non è vero," disse Garibaldo.

"Eh sì," rispose Asmara, "da un mese."

"Ma com'è stato?"

"Sarà stata l'angustia," disse Asmara. "O la forza

di volontà. Sapessi quanto ho pensato come dovevo fare per infrangere gli oroscopi."

"Ma che oroscopi," disse Garibaldo. "Ma insomma mi vuoi dire cos'è questa storia?"

"Ormai non conta più," riprese Asmara. "Lascia perdere, è acqua passata."

Lo accompagnò fino al cancello, come una volta.

46. *Si strugge la campana*

Le SS fecero l'inferno proprio come don Milvio lo aveva sempre descritto la domenica dal pulpito: un muro di fiamme alte e crepitanti, piene di urla. Ma lo fecero artificiale, con la benzina, e lo collocarono nella chiesa, e il crepitio era lo scoppio della mitraglia, che buttava fuoco sul fuoco.

Era di sera, all'imbrunire. Le SS partirono a ventaglio, a coppie per ogni strada. Borgo era nel silenzio, illividito dai gridi stranieri. Gli scarponi si fermavano sulla soglia e i moschetti bussavano alla porta. Le baionette foravano i pagliericci.

"Non ci sono uomini, non ci sono." Allargavano le braccia. Erano sui monti.

Le guidarono le bocche dei moschetti, fino alla piazza. Erano una turba, e si trascinavano i bambini per mano.

"È meglio non piangere, donne," disse la Nerina che aveva un figlio zoppo. "Questi qui non sopportano le lacrime, e se si piange ammazzano."

Intorno al monumento, spalla a spalla per farsi coraggio, sentirono l'ultimatum dell'ufficiale che voleva sapere il tutto del niente che sapevano.

"Chi parla per tutte?"

Il brusio si smorzò.

"Bene." E fece un cenno.

Don Milvio si svegliò coi tonfi dei bidoni di benzina che rotolavano contro i muri della chiesa, spinti a calci. E poi sentì un muggito, come di un gran vento, e il crepitio di una pioggia biblica. Balenò un lampo senza tuono, illuminando la camera di un'alba precoce.

"È un temporale," pensò don Milvio, e si affacciò alla finestra.

L'ondata di fiamme lo rimandò indietro. Gridò come un folle, ma la sua voce fu risucchiata dal fuoco. In camicia da notte attraversò la canonica, entrò in campanile e si attaccò alle funi. Ma la campana emise un suono fesso, come un gemito che non bastava a coprire il crepitio dell'inferno. Allora, inciampando nella camicia da notte, salì affannosamente le scale a chiocciola per sciogliere il batacchio che pensava fosse stato legato dal sagrestano, prima che morisse. Trovò la campana che si stava sciogliendo: un enorme cono afflosciato come un biscotto inzuppato.

"La campana strugge per solidarietà," disse don Milvio quando rientrò in canonica alla serva che lo aspettava con le labbra atteggiate a una preghiera che il terrore aveva cristallizzato sull'invocazione iniziale.

Le fiamme riverberavano il paese a giorno. Ora si erano fatte bluastre, perché per il calore dovevano essere saltate le pietre tombali del pavimento e i morti antichi bruciavano assieme ai morti recenti. La campana cominciò a fondere, sgocciolando, e seguitò tutta la notte. Ogni goccia di piombo che toccava il pavimento del campanile, dopo un volo di cinquanta metri, era un rintocco a morto tenebroso, così alto come non si era mai sentito. Lo percepirono per tutta la pianura, per un raggio di decine di chilometri. Al mattino, quando la chiesa era un campo stopposo navigato dai fiumi, don Milvio salì sul campanile e trovò solo il batacchio di ferro, che aveva resistito al calore.

47. *Migrazione*

Dicono che all'alba di quel mattino partirono le finestre. Avrebbero spiccato il volo per prime le finestre della canonica, volteggiando sulla piazza per chiamare ad adunata le compagne. A una a una si staccarono tutte e si adunarono ai richiami delle capogruppo, in un fremente stormo caudato. Poi, a un cenno delle guidatrici, salparono verso occidente. Andavano basse, battendo le imposte al ritmo lento di un volo ampio e tranquillo, come oche selvatiche. Il vento, se le attraversava, le faceva fischiare come verdi uccelli. Ben presto diventarono una linea sottile, e si persero verso il mare. Le case, con le occhiaie vuote, dicevano la resa.

48. *La quarta sponda*

"È l'Asmara!" gridò la sentinella fra le rocce. "È una di Borgo, la conosco io, non sparate!"

Gli uomini si alzarono, spengendo il fuoco per abitudine alla precauzione.

"Asmara?" disse fra sé Garibaldo. "Che vuole, questa?"

Era proprio lei, la si distingueva nitidamente fra i cespugli bassi, che avanzava coi capelli neri al vento di marzo, fra le ginestre. Aveva una valigia di cartone e un paio di pantaloni da soldato. Garibaldo le corse incontro.

"Ma che vieni a fare?"

Asmara posò la valigia per terra e si asciugò il sudore.

"Mi è preso un dubbio," disse.

"Che dubbio?"

"Un dubbio."

"Ma ti vuoi spiegare, una volta per tutte!"

"Eh, un po' di calma, Garibaldo," disse Asmara. "Sapessi quanta calma ho avuto io. Eppure sono focosa."

Si tirava su i pantaloni troppo larghi che le calavano sui fianchi.

"Non voglio vederti morire a trent'anni, ecco. E non mi domandare altro."

"Ma io li ho passati quasi da vent'anni," disse Garibaldo.

"Eh, anno più anno meno. A volte ci sono errori di tempo in queste cose."

Raccolse la valigia e si avviò decisa.

"Ad ogni modo da oggi sono partigiana."

Garibaldo la trattenne per un braccio e si sedette su un sasso.

"Abbiamo sentito i rintocchi a morto. I monti erano illuminati per il riverbero che veniva dal piano."

"È stato a Borgo," disse piano Asmara. "Hanno bruciato la gente."

"E tu come hai fatto?"

"Sono stata da Melchiorre, ci ho passato la notte."

Parlava guardando lontano, come se ricordasse con grande pena.

"Che ti ha fatto?"

"È morto all'alba."

"L'hai ammazzato?"

"Non c'è stato bisogno, ha passato una notte d'agonia. La mattina ha avuto un vomito verde."

"Raccontami," disse Garibaldo.

Asmara si sedette su una pietra. Ormai era giorno chiaro.

"Erano le otto, quando si è cominciato a sentire gli scarponi per le strade. Sono passati due camion pieni di bidoni e li hanno scaricati sul sagrato. Ho pensato: questi qui fanno una strage, e sono corsa fuori, per dirlo agli altri. Battevo di porta in porta: sono l'Asmara, dicevo, questi qui fanno una strage. Ne ho radunato un centinaio e li ho portati dietro l'orto, fra i canneti del fossato. Spicciamoci, spicciamoci. Le donne impedivano il pianto dei bambini con la mano sulla bocca. Quando li ho raccolti ho detto che cominciassero a camminare lungo il fosso, verso il mare, verso dove volevano: ma via, lontano. Io vengo più tardi, ho detto, devo andare in un posto, presto presto. Sono andata in cantina e ho preso qualcosa, non trovo niente, se non l'accetta. Ho preso l'accetta. Camminavo lungo i muri, con l'accetta a spalle, verso la piazza si sentivano già gli urli. Mi sono vestita da morte, pensavo. Pensavo a lui, la colpa di tutto, maledetto. Sono arrivata a casa sua e la porta era aperta. Già tutto buio. I suoi sgherri se la sono filata, ho pensato, sono andati a vedere il sabba, i becchini. Salgo le scale in punta di piedi. Aveva la camera socchiusa, entro dentro e lui era sul letto, con la bava alla bocca e gli occhi al soffitto. Lui mi guarda, poi vede l'accetta e ha un sorriso sulla bava. Non ridere, faccio io, perché sono venuta a ammazzarti, figlio di puttana. Lui continua a sorridere e fa che non c'è bisogno, ammicca una bottiglietta sul canterale, se l'era bevuta tutta. Hai scelto un veleno adatto, dico io, anche tu sei un topo, un lurido topaccio di fogna. Sono andata alla finestra e l'ho spalancata. Guarda, gli faccio, guarda maledetto topo avvelenato, cosa fanno i tuoi compari. Entrava il riverbero del fuoco, come un sole rosso. Da lì si vedeva la chiesa di sbieco, anche se era lontana pareva a due passi, sotto la finestra. Si è alzato un vento caldo, di tempesta, che agitava le tende: a vela. Poi la mitraglia ha spento i lamenti. Cos'è, chiede lui. È la tua quarta sponda, gli faccio. Ha cominciato a piangere, singhiozzava. Ah, ora piangi, ho detto io, ora piangi. Ho passato la notte alla finestra. Lui si era assopito. L'ho scrollato e l'ho tirato su. Devi morire sveglio, gli ho detto, e ricordartene per sempre. Voleva che gli dessi la mano. Riprende a singhiozzare. Perché non ho mai avuto il coraggio, balbettava. Il viso gli scoppiava di gonfiore, sembrava un pallone da fiera. Anche le mani: come due palloncini. Non si poteva più muovere, era tutto bloccato, issato sui guanciali a guardar fuori. Chiudimi gli occhi, mi fa, per carità, chiudimi gli occhi. Tu cosa avresti fatto?"

Garibaldo, con uno stecco, frugava nella pozzanghera di sputi che aveva formato per terra.

"Quello che avresti fatto tu."

"Gli ho chiuso gli occhi. Era già giorno."

49. *E in un giorno la guerra finì*

I liberatori entrarono in un paese morto. Anche i vivi volevano essere morti, e non uscirono sulle soglie. Dovettero entrare nelle case soldati a cantare lingue incomprensibili per dire con strette di mano e abbracci che la guerra era finita, in un giorno solo.

50. *Per dispetto o per vecchiaia*

Bisognava perquisire il convento, erano gli ordini del comando, per evitare che vi si fosse nascosto qualche tedesco sbandato e poi saltasse fuori a fare una strage per disperazione. Ma i soldati indugiavano al portone perché quando il peggio è passato si ha paura del niente. Tenevano i mitragliatori pronti, con le dita nervose, qualcuno fumava.

"Spengete le sigarette," disse l'ufficiale americano.

Il portone cedette alla prima spinta, socchiuso come se aspettasse una visita, e si trovarono improvvisamente spalancati sul chiostro. Il primo impulso fu di buttarsi a terra, ma nessuno si mosse, per la sorpresa, perché si aspettavano di trovarsi di fronte un tedesco disperato, invece trovarono soltanto le erbacce dell'abbandono. Si disposero a semicerchio ad un cenno dell'ufficiale e avanzarono cauti, coi mitragliatori imbracciati, evitando di calpestare i rami secchi; passarono le erbacce al pettine facendo scappare i biacchi e le lucertole che vi nidificavano indisturbati. Quando si ritrovarono sotto la tettoia della campanella, ancora guardinghi, ripresero fiato e aspettarono ordini.

"Disperdetevi a due a due," disse l'ufficiale.

Entrarono nell'atrio alla spicciolata, quasi invitati a far fuoco sul pallore marmoreo di san Vincenzo che nella penombra sembrava il tedesco disperato. Due si affacciarono nella saletta attigua, una stanza scura col soffitto a volta e il pavimento a scacchiera, e si ritrassero di fronte alla grata di legno dal disegno austero che in altri tempi aveva segnato il confine, nelle conversazioni, fra chi aveva rinunciato al mondo e chi vi abitava ancora. Parve un'ombra, che correva dietro la grata, e bastò a scatenare il mitragliatore: frotte di schegge grandinarono sulle pareti, e le falle aperte nel legno rivelarono un mantello appeso ad un chiodo della parete di fondo, dimenticato da chissà quanto.

Il convento seguitava nel lungo corridoio, e sul pavimento di mattoni continuarono a coppie, come pedine, con mosse imparate dalla guerra. Ad ogni porta si fermavano, le bocche dei mitragliatori si affacciavano a guardare dentro, perlustravano gli angoli, dicevano: niente neanche qui. Poi si fermarono perché avevano sentito uno di loro che aveva gridato. Il grido era:

"Le mani in alto!".

"Gìrati," ordinò il compagno di quello che aveva gridato.

La monaca era seduta a un tavolino, con la testa sulle braccia, e guardava fuori dalla finestra, ma non si girava, come se non avesse sentito.

"Guarda che sia proprio una suora," disse il compagno di quello che aveva gridato.

L'altro balzò rapido in avanti, con un braccio steso e il mitragliatore di guardia, e strappò il capello candido che veleggiava nella corrente d'aria proveniente dalla finestra socchiusa; e come da un involucro venne giù sulla veste una cascata di capelli di un rosso ancora aggressivo nonostante la canizie. La testa, per l'urto, si era girata e mostrava un viso rinsecolito che guardava il soffitto a volta con gli occhi vitrei: ma la bocca conservava la piega in cui l'aveva candita la sorpresa della morte: una smorfia di caparbia, e di pena della sua stessa caparbia.

"Sembra morta di dispetto," disse il compagno di quello che aveva gridato.

"Per dispetto o per vecchiaia," disse l'altro.

Si stava facendo buio. Il tedesco disperato non c'era. La sola disperazione che avevano trovato, in tutto il convento, era la smorfia incomprensibile sulle labbra della monaca morta.

51. *L'infallibilità del papa non è più un dogma*

Seppero che don Milvio si era fatto romito sul monte, oltre gli uliveti, e dormiva in una buca: una fessura fra i massi e l'edera. Lo aspettarono per molte domeniche, poi decisero di organizzare una processione. Le donne si raccolsero all'imbrunire davanti al sagrato chiazzato di nero, con una candela in mano riparata da un cappellino di foglio. Le guidava la Zelmira, con una pezzola nera sul capo. I bambini scampati, con una camicia da notte bianca, facevano da angeli. Si inerpicarono per le curve del sentiero del monte cantando *Bella tu sei qual sole*.

"Don Milvio, don Milvio!" chiamarono quando arrivarono a cento metri dalla grotta. E si disposero a semicerchio, aspettando.

Don Milvio sbucò fuori. Con la tonaca su quattro canne si era fatto un ombrello per ripararsi dal sereno. Vestiva due mutandoni di flanella e una camicia da cui sbucavano i peli bianchi del petto. Alzò le braccia al cielo come per chiedere silenzio assoluto.

"Vi ringrazio di essere venuti," gridò, "perché mi togliete un gran peso dal cuore, e non potevo scendere in paese."

Passò qualche minuto, come se don Milvio non trovasse il coraggio di parlare.

"Parrocchiani," riprese finalmente con la voce stentorea, "parrocchiani. Vi chiamo così per l'ultima volta, perché questa è l'ultima volta che vi parlo da prete. D'ora in avanti mi chiamo Scrocci, senza il don. Scrocci e basta."

Le civette, dietro la grande croce di ferro che ricordava un antico pellegrinaggio, cominciarono a singhiozzare. Oltre a loro si sentivano solo i grilli.

"In tutte queste notti (don Milvio continuava a indicare il cielo, come per chiamarlo a testimone) ho meditato molto. Ho mangiato cavallette, come san Girolamo, e bevuto gocciole di sereno, per mortificare la carne, e credo di aver raggiunto le mie verità. Ve ne griderò una sola, da questo pulpito di monte, non per imporvi una credenza, ma per darvi un consiglio. Tutte le altre sono fatti miei, e non interessano nessuno."

Corse un mormorio, qualche colpo di gomito, e la Zelmira fece:

"Sssssss!".

Don Milvio lasciò passare un minuto buono, come per trovare la forza di estrarre da sé la sua verità. Quando ricominciò a parlare il tono era perentorio.

"Parrocchiani!" gridò, "miei estremi parrocchiani, vi dico solo questo: l'infallibilità del papa non è più un dogma, e chi ci crede è bischero."

L'eco dei monti accolse le ultime parole e le ripeté a maggior convincimento. Don Milvio abbassò le braccia e fece un ampio cenno con le mani, invitandoli ad andarsene, come quando dichiarava finita la messa. La Zelmira si decise per tutti:

"Non siamo stati proprio amici," disse, "ma qualcuno gli deve pur parlare".

Si staccò dal centro del semicerchio e gli marciò incontro. Era già sera ed erano due macchie scure sotto la macchia nera della tonaca-ombrello. Li videro gesticolare a lungo, poi don Milvio partì deciso, fece ciao a tutti con la mano e si infilò nel budello fra le rocce.

Non lo videro più. Ogni volta che andavano a chiamarlo all'imboccatura, ("Scrocci, o Scrocciiii!"), sentivano una voce che veniva sempre più dal profondo, come se don Milvio stesse scavando come un verme per infilarsi dentro la terra. Qualcuno giurò perfino di aver sentito grattare sotto il pavimento di casa e assicurò che era don Milvio che scavava come una talpa, in viaggio sotto il mondo. Poi la voce si allontanò a tal punto che per percepirla bisognava andare all'alba, quando tacciono anche i grilli, e chiamare molte volte. Poggiando l'orecchio per terra, ad aver l'udito fine, si poteva sentire un flebile sospiro e un *crrr crrr crrr* vago, come un tarlo lontanissimo. Non ritornò più a galla, si perse nelle profondità del mondo: come un naufrago testardo si abbandonò alla deriva della sua verità che nessuno, oltre la Zelmira, aveva potuto raccogliere.

TERZO TEMPO

1. *Lingua zerga*

Lo videro spuntare in fondo alla piazza, dalla parte dello stradone che portava alla marina. Era una giornata di un luglio così libeccioso che Borgo era avvolto in una nube di pulviscolo: la polvere sabbiosa delle spiagge, superati i chilometri della bonifica, si arrestava alle falde delle colline, scintillando. Garibaldo venne avanti nel vento della piazza, reggendosi la falda del cappello con una mano. Si soffermò sotto il monumento, appoggiò la bisaccia per terra e orinò contro il piedistallo, guardando dal di sotto gli avambracci molto in carne della Democrazia che riceveva l'Italia dalle mani dell'Eroe dei Due Mondi.

"È Garibaldo," disse il Guidone mostrando i denti merlati per cui lo chiamavano Mangiaghiaia.

Il Guidone era stato campione di lotta libera e prometteva di far carriera. Aveva perfino disputato un incontro in Francia. Poi si era beccato una testata nei denti che si erano guastati in capo a un mese, e la sua carriera era finita lì.

"È Garibaldo. Gli hanno dato la via."

Il Gruppetto stava sotto il pergolato dello Splendore, che nel frattempo aveva aggiunto un bar alla fac-

121

ciata, con una decina di tavolini di ferro. Accanto al portone, dalla parte sinistra, pendeva il cartello di un film che avrebbe dovuto inaugurare il cinema una decina di anni prima. Sulla destra un manifesto giallo, scritto a mano:

QUESTA SERA AL CINE TEATRO SPLENDOR
ALLE ORE 21 COMIZIO POPOLARE
SUI PROBLEMI DELLA FABBRICA.
LA POPOLAZIONE È INVITATA A INTERVENIRE

Garibaldo avanzò con passo maestoso, pronto a stringere le mani tese. In un attimo il gruppo fece capannello, perché ognuno voleva sapere novità.

"Sono io che ho da sapere novità," disse Garibaldo. E guardava il nome di gesso sulla facciata.

Poi si accorse che l'ultima E era cascata, e in fondo il nome suonava meglio, più esotico.

"Andiamo dentro, ragazzi, che c'è più fresco," disse Mangiaghiaia.

"Ci hanno dato un altro padrone," ammiccò Garibaldo verso il monumento.

"Eh," dissero gli altri.

"Ma chi ci crede più," disse Garibaldo.

Entrarono nel salone fresco, già disposto al comizio della sera. Sul palco c'era un tavolino con quattro sedie e una vecchietta stava spazzando per terra. Ordinarono delle aranciate, si disposero all'ascolto.

"Quando lo inauguriamo?" chiese Garibaldo.

Lasciarono rispondere a Mangiaghiaia che era un po' il factotum.

"Se va così lo riscattiamo l'anno prossimo, il bar rende benino, all'ultima festa dell'Unità abbiamo incassato un buscherio."

122

"Viene tutto Casa del Popolo?" chiese Garibaldo.

"C'è il progetto di lasciare il nome dello Splendor, che ormai è conosciuto in tutta la pianura, e sotto aggiungere: Casa del Popolo." Parlava Cecchino, un biondo col viso da faina, cugino di Gavure, che faceva l'autista ai macelli comunali.

"Che ti è successo, Garibaldo," chiese uno.

Garibaldo cominciò a parlare e il gruppo ammutolì.

"Il peggio avingi stazzonato. Son partito a lenzoso e son tornato a frizzante. La chiurla piena di grisaldi, in quel buco della travagliosa. Ma non ho calato le prospere."

Ci fu un brusio, qualche esclamazione. Pareva forestiero.

"Questo non è straniero, cari miei," disse Garibaldo sbuffando dal sigaro. "Questa, cari miei, è la meraviglia del secolo, si chiama lingua zerga."

E sapeva anche ruscailler jargon, che era lo zergo fransiù. Glielo aveva insegnato un marsigliese che sarebbe ammuffito in travagliosa perché aveva rotto la chiurla a un notabile.

Quando gli ebbero raccontato della fabbrica, Garibaldo era troppo stanco per continuare.

"Io avrei una proposta," disse, "ma ne parliamo domani sera. Ora lasciatemi andare a casa, sono troppo stanco. E poi ho voglia di fare una sorpresa all'Asmara."

Si tirò su e si avviò verso casa. Pensò a quella sera di dieci anni prima, una sera identica, in cui era andato da Asmara e aveva annunciato:

2. La Todde

"Ho trovato lavoro," annunciò Garibaldo. "Questa è una nuova Todde."

Quelli prendevano tutti, senza guardare a piedi. C'erano tante cose da fare; ricostruire i condotti, massicciare le strade ingobbite dalle mine, spazzar via le macerie. C'era anche un settore specializzato che cercava i residuati bellici per disinnescarli. E con una buona paga; c'era da rimetterci la pelle. Per i generici le cose erano diverse: la paga era metà in liquido e metà in buoni alimentari: un pacchetto di riso, di farina e di zucchero al giorno.

"Se ti decidi ci sposiamo," continuò Garibaldo. "Dimmi quando ti va bene, che faccio i fogli."

Asmara pareva preoccupata, non si decideva a rispondere, non staccava gli occhi dal ricamo.

"Sono in lutto per la zia," mormorò, "lascia che passi. Non avere fretta proprio ora, abbiamo aspettato tanto."

"Ma è morta tre anni fa," obiettò Garibaldo.

"I lutti non si portano in tempo di guerra," disse Asmara, "si portano in tempo di pace. Ho cominciato a contarlo dal giorno della liberazione."

Garibaldo si rassegnò ad aspettare. Andava a trovarla tutte le sere, come una volta. Quand'era l'epoca sostava un momento in giardino per scegliere una rosa. Si amavano sulle lenzuola ricamate, con la feroce nostalgia del tempo sprecato. Quando Asmara decise di uscire dal lutto dettò le sue condizioni. Parlò con dolce fermezza, pregandolo di capire. Lei non cambiava di casa. Era già vecchia, in quella casa c'era sempre stata, c'erano morti i suoi, ci aveva aspettato tanto: tante notti con gli occhi sul ricamo e l'orecchio alla pendola, a contar gli anni.

Garibaldo diceva di sì con la testa:

"E allora come si fa?".

Pareva che Asmara avesse già pensato a tutto:

"Non è che ti voglio veder qui, in questa casa. Non ti ci vedo, non ti sentiresti a tuo agio. È più giusto che ognuno resti a casa sua".

Ma c'era un'altra cosa che le premeva sulle labbra.

"Già che ci siamo, dimmi tutto," forzò Garibaldo.

"Voglio un doppio di campane."

"Ma se non ci sposiamo in chiesa," disse Garibaldo. "Figurati se il prete ti fa anche il doppio."

Non ci fu verso di farle cambiare opinione. Si intestardì dicendo che era la sua festa, e che il doppio se lo pagava.

"O così o non mi sposo."

Ricorsero alla Zelmira, che andò a parlare col nuovo curato: un giovanotto coi capelli impomatati che aveva messo prezzi salatissimi su battesimi e messe di requie, e tutte le domeniche diceva dall'altare che i comunisti andavano all'inferno. I comunisti avevano portato l'Italia alla rovina, perché se non ci fossero stati comunisti non sarebbero nati i fascisti, dunque non ci sarebbe stata né la guerra né i tedeschi. Meno male che c'era De Gasperi.

Nel bossolo d'anni della Zelmira si era aperto un forellino da cui la vita cominciava a sfuggire: era la voce, un soffio esile con cui aveva preso a esprimersi, lasciando gli ammicchi.

"Un doppio a quel mangiapreti che si sposa all'anagrafe," disse il curato. "Nemmeno per sogno."

La Zelmira fece gioco di andarsene.

"Aveva ragione don Milvio," mormorò.

Il curato si fece pallido.

"Come sarebbe a dire?" chiese col fiato mozzo.

"Niente di più di quello che ho detto:" disse la Zelmira, "che aveva ragione don Milvio."

"E cosa disse don Milvio?" trovò il coraggio di sibilare il curato con finta ironia, come se avesse detto, figuriamoci; e in cuor suo pensava: è venuto il momento che la frego, e riesco a cavarglielo di sotto.

Ma la Zelmira era già sulla porta.

"Eh," disse. "Ora lo dico proprio a te. Stai fresco."

"Aspettate," disse il curato.

E così si sposarono col doppio.

3. *Cosa vuol dire un vitalizio?*

La portavano in città e lei si lasciava portare. Le piaceva andare in automobile: quand'era giovane in quella città ci andava in calesse, con sua madre, prima di Pasqua, a fare certe spese. Si fermavano in quella piazza di marmi e passeggiavano a braccetto.

"Dovete essere bella pulita, gli avevano detto, perché sennò il Vescovo sente la puzza."

Ma come faceva a sentirla, in quella sala piena di garofani, con le mattonelle lucidate e due lampade d'incenso sulle colonne: non si potevano sentire puzze.

"Laggiù in fondo c'è il Vescovo."

Proprio in fondo al corridoio lungo come un treno; lei pensò che non ci arrivava: ce la dovettero condurre, fino alla porta dello studio.

"Baciategli l'anello, capito, baciategli l'anello."

"Sì, sì," annuiva la Zelmira.

Ma poi se lo scordò, perché il Vescovo era controluce e per guardarlo doveva strizzare gli occhi; parlava piano e lei non capiva, con quelle campane a due passi che a un certo punto si misero ad abbaiare come disperate e non la smettevano più. E poi lui accese una sigaretta, si è mai visto un Vescovo che fuma; se lo avesse visto per strada avrebbe detto che non era un Vescovo vero, era uno vestito da Vescovo: ma in quel posto lì, con tutte quelle serve e cappellani, seduto alla scrivania, col finestrone della piazza alle spalle, doveva essere proprio il Vescovo.

Ma anche i vescovi veri hanno diritto di chiedere certe cose? E poi c'è maniera e maniera, e su questo s'impuntò la Zelmira: tanto più che era così vecchia che più vecchi non si potrebbe essere, e cosa voleva dire per lei vitalizio? Ma anche se non l'avesse indispettita con le sue dolci maniere di compratore, quello che le aveva detto don Milvio restava fra lui e lei: perché doveva raccontarlo a quel giovanotto brizzolato che fumava sigarette controluce, in quella stanza appestata dai garofani?

"Non Gli avete baciato l'anello."

"Non dovevate fare così."

"Avete offeso Sua Eminenza."

La riaccompagnarono all'automobile che l'aspettava alla piazza di marmo. Quand'era giovane in quella città ci andava in calesse, con sua madre, prima di Pasqua, a fare certe spese.

4. *L'Organzina fa sudare*

Asmara rimase scettica fino in fondo, anche se la Zelmira le aveva assicurato:

"Gliel'ho intimato, gli ho messo paura".

Ma proprio nel momento in cui prendeva la penna per mettere la sua firma sul registro, scoppiò il doppio. Uscirono dal Comune a braccetto, Asmara aveva un abito rosapallido di organzina ricamata. Attraversarono la strada e sostarono in piazza, per bere una granita al chiosco che era stato di Gavure.

In casa li aspettava la Zelmira, che aveva atteso al rinfresco, col Guidone e la friulana. Fu una festa malinconica con Asmara che piangeva di allegria, quasi brilla per un bicchierino di Strega preso a digiuno, per farsi coraggio. Un pianto che pareva di sconforto la travolse al momento di tagliare la torta nuziale, ma dopo il caffè si rimise: si asciugò gli occhi e salì in camera a darsi una pettinata. Quando scese, smessa l'organzina che la faceva sudare, trovò gli invitati che dormicchiavano, per effetto dei bicchierini. Garibaldo, che ciondolava nel sonno, si scosse di soprassalto quando sentì una mano sulla spalla. Era in una tomba, dietro una lapide. I tedeschi si fermarono proprio davanti e l'ufficiale ammiccò la lapide. Garibaldo li seguiva da un forellino nel marmo, proprio sotto il lumino.

"Vieni fuori," disse l'ufficiale, "ti sei fottuto col tuo stesso trucco. Non dovevi arrivare a mettere il tuo ritratto sulla lapide!"

Garibaldo si girò e guardò allucinato il ritratto sopra il lumino a petrolio. Era Volturno.

"Ma questo non sono io, questo è mio zio Volturno!" gridò con convinzione.

L'ufficiale sorrideva ironicamente.

"Cosa significa," singhiozzò Garibaldo, "voglio sapere cosa significa. Questa è la tomba di mio zio Quarto, mio zio Volturno è disperso in Africa!"

Ma i tedeschi si stavano togliendo le divise. Non erano mica tedeschi, erano italiani. Ridevano.

"Era tutto uno scherzo, via non te la prendere così," diceva l'ufficiale mettendogli una mano sulla spalla. "È stato uno scherzo, ora puoi andare a casa."

"Puoi andare a casa," disse Asmara. "Ho un sacco di lavoro per il pomeriggio."

Garibaldo si rassettò i capelli e s'infilò la giacca. Sulla camicia c'era una macchia di vino, accidenti. Gli invitati lo seguirono, continuando a fare gli auguri ad Asmara. Rimase la Zelmira, che dava una mano a sparecchiare.

"Passo stasera," gridò Garibaldo dal cancello.

5. Un'idea di Mangiaghiaia

Era un'estate di un'abbondanza mai vista; alcuni dicevano perché la terra si era rilassata, si era scordata le bombe e aveva ritrovato fecondità. Il cielo non si interrompeva di celeste, neanche di notte, pareva avesse scelto un colore definitivo.

Ormai avevano rifatto tutte le finestre. Avevano aspettato per qualche anno, con la segreta speranza che ritornassero; anche se pareva un'assurdità, forse maggiore che credere alla loro fuga; e nel frattempo le avevano rimpiazzate con tapparelle di stuoia, cartoni pressati, compensati dipinti di verde. Ma quell'estate si decisero tutti, chi prima e chi dopo. Con quella ripresa che la terra dimostrava, le cose erano tornate al loro posto: e se le finestre non erano rientrate, voleva dire che era bene non aspettarle più. O forse prevalse il buon senso: si era mai visto un paese senza finestre? Prima sì, dicevano i vecchi. Prima non ci si faceva caso, mancavano tante cose, quand'era il tempo che gli uomini tagliavano cannelle. Ma ora, col progresso, tutti che si comperavano il motorino, che si mangiava carne anche nei giorni di lavoro. E il nuovo curato aiutò, dal pulpito: non vedevano il grande progresso che De Gasperi stava dando all'Italia? Non era ora di smetterla con quel distintivo, pareva una bravata, un voler ricordare a tutti i costi, per quattro o cinque bombe, che poi di più non dovevano essere state; per far saltare le finestre in un paese così piccolo bastava una bomba sola.

Lo Splendor avrebbe aperto a settembre.

"Questa volta apre davvero," correva voce, "la pace è stabile."

Si fecero mille supposizioni con che cosa avrebbe inaugurato. Un film, un'operetta o un veglione? I più dicevano il film, forse per desiderio di vederne uno a colori, di cui si raccontavano meraviglie.

Anche Garibaldo aveva sostituito le finestre. Le aveva messe su doppi cardini, per precauzione, tante volte non succedesse qualcosa e volessero ripartire. Sciaguattava in un dopocena di ricordi argentini.

"Garibaldo," chiamò dalla strada una voce chiazzata di soffi.

Era Mangiaghiaia, che entrò con un rumore di sassi in bocca. La sua miglior maniera di abbordare qualsiasi argomento era descrivere per mezz'ora tutte le fasi dell'incontro francese in cui si era beccata la testata nei denti. Per questo Garibaldo gli disse:

"Dimmi subito, perché ho sonno".

Mangiaghiaia, grattandosi la pancia, chiese un bicchier di vino. Al settimo bicchiere Garibaldo aveva aderito. Era un'idea di prim'ordine quella di comprare lo Splendor in cooperativa. E poi aveva già un nome prima di cominciare a funzionare: in due o tre anni lo si riscattava. E intanto ci si poteva riunire, si potevano fare le proiezioni: e il posto diventava loro.

"Ci facciamo anche il bar della cooperativa ortofrutticola," sibilarono le falle della dentatura di Mangiaghiaia.

6. *Una storia e un cappone*

"È finito il lavoro," disse Garibaldo. "Finita la Todde è finito il lavoro. Siamo daccapo."

Era inginocchiato davanti a un lenzuolo di tela grezza, con tinta e pennelli.

"Guarda un po' in giardino," disse Garibaldo.

Asmara si fece sulla porta e vide una lambretta sul cavalletto.

"L'ho comprata di seconda mano, con la liquidazione della Todde. Ha il motore che è un orologio."

Stava dipingendo un giovane vestito di rosso che lanciava un piede sanguinante sulla cupola di San Pietro.

"Ma che pensi di fare?"

Garibaldo si alzò pulendosi le mani con uno straccio.

"Vedrai che non si muore di fame. So la musica e un mucchio di canzoni. La fisarmonica ha il mantice in ottimo stato. Finché non trovo un lavoro stabile vado in giro."

"Ma cosa vuoi che renda," disse Asmara.

"Ma vendo anche capponi," disse Garibaldo.

Un rosario di paesi sgranato con gli scoppiettii della lambretta: le colline delle Gavine, magre di cardi; Rupecavo dall'acqua avara, da dove si poteva invidiare la lama celeste del mare lontano; Filettro, acquattato nell'umido; e poi lontani paesi di pianura, verso le maremme: piazze acuminate di bovi, immerse in pomeriggi bianchi tratteggiati da corvi serotini. Garibaldo arrivava e scaricava dal portapacchi i capponi, la fisarmonica argentina e i cartelloni illustrativi. Iniziava con la storia intitolata *Roma e folaghe*, e si vede-

131

va un garibaldino che donava all'Italia prima un piede e poi la vita. E poi la storia di un uomo solo e pallido che spariva in un tramonto africano arancione: si chiamava *Morto per un pugno di mosche*. E poi la storia di una croce di guerra, di una donna diventata celeste a furia di pensare al mare, di un gobbo che si era fatto rompere la schiena da morto per scendere diritto nella fossa, di una campana strutta per solidarietà, di certe finestre scappate per l'orrore.

I capponi si vendevano bene.

7. *Chi c'è e chi non c'è*

Tornò il circo francese.

Fu una concorrenza spietata al bar della cooperativa, già aperto sulla facciata dello Splendor, vuoto una settimana di fila. Dirigevano ancora i baffi di Monsieur Oignon. Maciste, rugoso come un pallone sgonfio, seminava segatura sulla pista prima dell'ingresso dei cavalli. Anche il filo di Montero Secondo doveva essersi spezzato a Guadalajara. Nemesicus probabilmente era solo e felice nelle sembianze di qualche yeti tibetano.

Pecos Bill, coi capelli ossigenati, sparò ambidestro quattro pistole, forellinando un GRAZIE di fine spettacolo su un cartellone di stagnola.

8. *Mezza lettera di piombo*

Diventò celebre in tutta la piana, e anche più in là. Lo invitavano a matrimoni lontanissimi pagando onorari profumati, più vitto e alloggio. Partiva in lambretta, spesso portava anche Asmara. Erano sempre matrimoni all'aperto con balli sotto le pergole e fiocchi rossi all'occhiello. Poi un giorno tornò nervosissimo, ma pieno di soddisfazione, perché il Partito lo aveva contrattato per le feste dell'Unità.

"Stai attento che mi sporchi il ricamo," disse Asmara.

Passò un mese a prepararsi. Suonava dalla mattina alla sera, scriveva canzoni sui foglietti del calendario, adattava parole partigiane su musiche di tanghi argentini.

Fu una festa indimenticabile: tre giorni di fila con una grande folla. Si vendettero più gelati e gazzose che durante i fuochi di sant'Alessandro, il che testimoniava del successo. Prima c'era sempre un comizio introduttivo, poi un film sulla Liberazione, i balli e le canzoni. Garibaldo salì sul podio con la fisarmonica. Dapprincipio aveva il batticuore, ma poi si sciolse, ritrovò se stesso e eseguì il repertorio con maestria. Chiuse con la canzone che aveva preparato, una ballata in terzine di rime assonate, di stile dantesco, in cui parlava di un inferno fatto con la benzina. Fu un successo senza precedenti e molti piansero, andarono ad abbracciarlo. La voce dell'altoparlante, quando le cose stavano per mettersi al brutto, cercò di sdrammatizzare. "Questi tenebrosi momenti sono per fortuna passati. Ma essi devono essere sempre presenti nella nostra memoria perché non ci dimentichiamo mai cos'è stato il fascismo!" E si passò alla seconda parte della manifestazione: la corsa nei sacchi.

Quella sera andò a dormire da Asmara. Si sarebbe sentito troppo solo in quella casa dalle cui pareti il celeste cominciava a scrostarsi. E poi sentiva il bisogno di metterla al corrente; del resto era un passo importante, una decisione.

"Ho preso la tessera del Partito," disse.

Asmara stava ricamando. Ormai ricamava qualunque cosa le capitasse a tiro; aveva già ricamato tutta la biancheria di casa: tovaglie, lenzuola, asciugamani, perfino le tendine delle finestre. Sorrise un sorriso furbo, come se non ci credesse, senza staccare gli occhi dal ricamo.

"Tu?! E l'anarchia?"

"È finito quel tempo," disse Garibaldo. "Oggigiorno bisogna essere uniti, bisogna organizzarsi. Aveva ragione Gavure, l'unione fa la forza."

Asmara si alzò con un sospiro, aprì una cantera e prese un tesserino.

"Siamo compagni," disse buttandolo sulla tavola.

Garibaldo la guardò senza capire, come se lo prendesse in giro.

"È molto, non ti preoccupare, non me la sono presa oggi. È da quando Gavure mise su il chiosco. Tu stavi in Argentina a ballare il tango."

Garibaldo la guardava disarmato di obiezione. Asmara si staccò la catenina che portava al collo e gliela tirò di struscio sulla tavola. Lui prese il ciondolino di piombo tra le mani e capì tutto.

"Eh, sì. Ero io il collegamento di Gavure. Distribuivamo i giornali metà per uno, lui dal chiosco e io a domicilio."

Garibaldo si sentì prendere fuoco. Batteva i pugni sulla tavola, paonazzo.

"E mi hai fatto lasciare i giornali in giardino, tutti i sabati, tutti i sabati! Non mi hai mai detto niente!"

"Oh, senti," tagliò corto Asmara, "eri così tronfio, così sicuro del fatto tuo. Voi uomini vi credete bravi perché pisciate al muro."

Garibaldo andava in su e in giù per la stanza, come un animale in gabbia.

"E me lo dici ora!" urlò. "Ora, dopo dieci anni!"

"Non ti scaldare troppo," disse Asmara. "Mi è sfuggito, è passato tutto così in fretta. E poi avevo altre cose per il capo, con quella preoccupazione dell'oroscopo."

"Ah, l'oroscopo! Maledetto oroscopo!" sospirò Garibaldo. "È stata la tua ossessione. La tua ossessione e la mia disgrazia."

E cominciò a spogliarsi per andare a letto.

9. Cineteatro Splendor

Cominciò ad andare allo Splendor tutte le sere. C'erano tanti compagni che venivano dalle piane e discutevano ai tavolini, per prendere il fresco. Veniva Quarantotto, in bicicletta, che poi cascò da un'impalcatura e rimase fermo nel letto, peggio che un accidente. Mangiaghiaia raccontava la sua odissea francese, l'incontro con quel toro giapponese che aveva una testa che pareva una protuberanza del collo e due occhietti di tartaruga, senza palpebre, che non battevano nemmeno quando gli davi un colpo basso.

"Per non battere di schiena io mi inarco. Fai ponte, mi dice il secondo, fai ponte! Lo faccio ponte, ma era di sagginali, perché il giapponese mi avvicina la protuberanza come se mi volesse dire una cosa all'orecchio, e mi molla una testata nei denti."

10. Ristorante Le Vincenzine

"Bisogna buttare giù questa parete," disse l'architetto. "La grata la manteniamo perché fa colore, anche se bisogna ripararla: dietro ci viene il guardaroba."

Il capomastro proseguì per lo scuro corridoio, oltre la cappella, fino al refettorio. L'architetto aveva un paio di pantaloni chiari e le scarpe con la suola di gomma. Teneva un taccuino in mano e prendeva appunti.

"E le vasche?" chiese il capomastro.

Si era fermato perplesso alle due pile di pietra serena collocate all'ingresso del refettorio. Lavatoi non potevano essere, parevano vasche: ma nemmeno per l'acqua benedetta. E allora?

"Già," disse l'architetto appuntando. "Per ora le manteniamo, semmai ci mettiamo del verde o ciottoli di fiume. Poi vediamo."

Studiava il refettorio, contava i metri col passo, appuntava, faceva *oh* per provare l'acustica. Scrisse sul taccuino: trenta tavoli.

"Sotto la volta ci lasciamo un tavolone," disse a voce alta, ma ora parlava tra sé. "Per le occasioni speciali, matrimoni e roba del genere."

Fece dietrofront e uscì nel chiostro. Il capomastro gli andò dietro per educazione. Era una giornata trasparente, come ce n'è a volte di marzo, e già non più fredda.

"Certo, qui ci sarà un bel lavoro," disse l'architetto.

Si riferiva alle erbacce e allo squarcio nel muro di cinta per il quale lo sguardo precipitava sulla piana.

"Comunque," disse l'architetto. E riprese ad appuntare sul taccuino. Scrisse: pergolato, grande pietra di granito (possibilmente piccola macina di mulino), ferro battuto in sostituzione muro, per vista panoramica.

"Ora devono cambiare pelle," disse il capomastro.

"Come," disse l'architetto.

Il capomastro ammiccava le erbacce.

"Ci dev'essere pieno di biacchi," disse. "È da dieci anni che ci vivono indisturbati."

Due coppi di terracotta grandi: scrisse l'architetto.

Il capomastro aveva trovato un bastone e si era azzardato fino al limitare delle erbacce, tastandole.

"Sarà che hanno fatto un affare," disse scettico. "Chi vuole che ci venga, qua, tra sassi e biacchi."

L'architetto aveva riposto il taccuino e fumava una sigaretta.

"Oh, rispose. Stia pur certo che è azzeccato. Questa qui, fra qualche anno, è una zona di alto turismo." Fece un cenno col braccio, alle sue spalle. "Monti," disse, "e mare."

Ora ammiccava lontano, davanti a sé, e il capomastro ne seguì il dito puntato oltre lo squarcio del muro di cinta, oltre le nuvole degli ulivi, verso una striscia azzurrina all'orizzonte.

11. *Un nome per Borgo*

Passavano camion con rimorchi mostruosi che facevano tremare Borgo nottetempo. Camionisti settentrionali, con parlata semincomprensibile, chiedevano cotolette alla milanese in una trattoria dove si era sempre mangiato soltanto zuppa di fagioli. Il nodo ferroviario diventò stazione con tanto di pensilina e nome su cartello di smalto:

BORGO ALLE CONSERVE

anche se nessuno chiamò mai Borgo con questo nome.

12. *La legge del menga*

Fu innalzato un palco tricolore in mezzo alla piazza. Per quattro giorni un altoparlante collocato tra l'Italia e la Democrazia diffuse l'inno nazionale e una canzone che parlava di pace e libertà, mentre un'automobile foderata d'azzurro seminava la faccia del futuro oratore su manifestini candidi.

"Hai capito chi viene a parlare? È il partito che comanda l'Italia. Ci sarà lavoro per tutti, stanno per aprire una fabbrica sullo stradone delle bonifiche."

La sera la piazza era gremita. I carabinieri piantonavano le strade per evitare disordini e schiamazzi; il grammofono della cooperativa ortofrutticola, tolta la spina, morì rocamente su: *ciccì, bebè, uè uè uè.*

L'oratore esordì in un silenzio di tomba, appena cessò un doppio festivo tipo cristorisorto. Cominciò dicendo che aveva proprio piacere di parlare in un paese così laborioso e timoroso di Dio, dove si leggeva la modestia in viso alle donne e la buona volontà in viso agli uomini. Poi disse che l'industriale che aveva costruito la sua fabbrica sullo stradone delle bonifiche dovevano considerarlo un benefattore, perché per far lavorare la gente aveva scelto *questo posto qui*, a centinaia di chilometri da casa sua. E si capiva dal tono come fossero dei pidocchiosi, ad essere nati in *questo posto qui*. E poi parlò della situazione: che bisognava avere pazienza, che Roma non si era fatta in un giorno, che eravamo scampati a un bel cataclisma, che tutti avrebbero trovato lavoro, prima o poi; e che infine quelli più esagitati (e qui alzò un dito ammonitore come contro dei bambini discoli) avrebbero fatto i conti con la legge.

Allora, dall'orlo della folla, si levò altissima la voce di Garibaldo:

"Sì, la legge del menga!".

Non ebbe tempo di dire altro perché i carabinieri lo avevano già bloccato e lo trascinavano, tra la gente che si apriva a imbuto, verso una camionetta che partì a tutto gas. La folla cominciò a ondeggiare, ma senza cattive intenzioni. Però l'oratore si impaurì lo stesso, e scese veloce dal palco, fra due ali protettrici di agenti.

13. *Una proposta*

Parlava uno che Garibaldo non conosceva: ancora un ragazzo, con gli occhi chiari, forse uno delle frazioni.

Mica che si guadagnasse bene, eh, una vita di merda. Ma meglio che andare a tagliar cannelle. E poi ora non ce n'è più, ci sono le bonifiche, e altro che distribuzione delle terre: qui c'è mio, qui c'era mio, qui ci sarà mio, e la Fattoria Vecchia ha fatto man bassa. A Borgo gli sono rimaste quattro aiole di zolle sottomonte.

La platea era gremita. Anche di donne, sedute in fondo. Fuori, per strada, c'era un vocio, qualcuno metteva la testa in sala, perlustrava, ritornava via.

"Vado a dare un'occhiata," disse Mangiaghiaia, "c'è un'aria che non mi garba punto."

"È giovane, ma sembra informato," disse Garibaldo.

"È il figliolo di Quarantotto."

"Si è fatto la guerra insieme," disse Garibaldo.

"Ora è a letto paralizzato," disse Mangiaghiaia.

Il ragazzo si era fermato per prestare orecchio al rumore della strada.

"Vai avanti," disse qualcuno della platea.

La situazione la conoscevano tutti, diceva il ragazzo. Ai licenziamenti per crisi chi ci credeva. Rappresaglia, ecco cos'era, sennò perché solo quelli che erano andati ad attaccare i manifesti per lo sciopero? Dieci famiglie sul lastrico, ma si scherza. E ora la parola a tutti.

"Avrei una proposta," disse Garibaldo.

Il chiacchiericcio si zittì, la platea si girò.

"Vieni sul palco," disse il figlio di Quarantotto.

"Vai sul palco," lo gomitò Mangiaghiaia. "Io vado un attimo alla porta."

Mentre attraversava il corridoio si levò un applauso di bentornato. Lui salutava di schiena, alzando le braccia. Il ragazzo gli diede una mano per salire sul palco.

"Amici e compagni," disse al microfono, "sono contento di rivedervi."

C'era un brusio, qualcuno lo chiamò, gli dicevano: ehi, come stai. Garibaldo zittì con le palme delle mani.

"Avrei una proposta," disse.

Fu in quel momento che irruppero nella sala. Erano pochi, ma con caschi e visiere, in tenuta d'assalto. Dettero a capire che inseguivano qualcuno, qualche picchettatore rimasto alla fabbrica. Ma era un pretesto per picchiare. Mangiaghiaia ci incappò proprio in mezzo, e se lo passarono come un burattino col manganello e il calcio dei moschetti. Fu un lampo, non ci fu nemmeno il tempo di reagire che erano già usciti, allineati dietro le camionette. Il questore, con un altoparlante, stava dicendo che per motivi di ordine pubblico doveva far sgomberare il teatro.

14. *Le finestre sulla piazza*

Era una sera di vento caldo, marino. Quel libeccio strano aveva superato la prassi dei tre giorni e aggirava Borgo di mulinelli ampi, come un assedio di ventagli. Asmara si rizzò sui cuscini e prestò orecchio al rumore. Veniva dalle finestre.

"Garibaldo," disse scuotendolo per un braccio, "le finestre."

Garibaldo si girò nel sonno.

"Che finestre?"

Asmara si alzò a piedi nudi e infilò la sua vestaglia ricamata. In mezzo alla camera, in piedi, decise la direzione da prendere. Il rumore era uguale e costante da tutte le finestre: un gemito di cardini e di legno, come di ossa artritiche.

"Garibaldo," ripeté, "le finestre."

Ma Garibaldo dormiva tranquillamente nel fresco scuro di una tomba, dietro una lapide. I tedeschi si fermarono proprio lì davanti e l'ufficiale ammiccò alla lapide.

"Vieni fuori," disse l'ufficiale, "sei fottuto anche questa volta. Ti sei fregato col tuo stesso trucco."

Garibaldo uscì imbambolato di sonno interrotto e si girò a guardare la lapide. Ma non era una lapide, era la finestra di camera sua.

"Questo è troppo," disse l'ufficiale, "ti nascondi in una tomba e ti porti dietro la finestra di casa."

"Sono le finestre di casa," disse Asmara.

Garibaldo aprì gli occhi e gli ci volle qualche secondo perché la divisa dell'ufficiale diventasse la vestaglia ricamata di Asmara.

"Che finestre?"

"Ma non le senti? sono le finestre di casa."

Garibaldo sorrise come se si rammentasse qualcosa. Gettò uno sguardo convalescente di sonno nella penombra della camera. Circa dieci anni prima dormiva lo stesso sogno sui monti dove finiscono i castagneti e comincia la macchia, ma l'ufficiale tedesco aveva nella voce un rotolare di sassi.

"Sono finestre," disse Mangiaghiaia.

"Che finestre?" mormorò Garibaldo.

Lo aveva preso un freddo che nel sonno non sentiva. Era un'alba di nebbia mista ad un albume che infradiciava il confine nero dei castagni. Era stato un giorno lunghissimo con un sole di mezzanotte che veniva dal piano, un riverbero rossastro. "È un incendio," aveva detto qualche compagno, "forse una bomba persa su un casolare."

"Erano finestre," ripeté allucinato Mangiaghiaia. Stringeva il fucile e ammiccava per aria con un cenno vago, d'addio.

"Era un branco di finestre."

Garibaldo si strinse la coperta sulle spalle.

"Saranno state oche di passo."

"No," macinarono i denti di Mangiaghiaia. "Erano verdi. Erano finestre."

"Vai a dormire che ti do il cambio," disse Garibaldo alzandosi. Ma Mangiaghiaia non si muoveva, bloccato in quel cenno.

"Non senti le finestre," disse Asmara, "non le senti?"

"Sarà il libeccio," disse Garibaldo.

"Vogliono partire," disse Asmara. "Vogliono partire un'altra volta. Sta per succedere qualcosa, ci sarà violenza."

Garibaldo si alzò e vagò per la stanza.

"È il vento," disse. "È per via del libeccio."

15. La morte non si compra

(due quadri dati in uno, in ragione
dell'essere contemporanei)

"La mia proposta è questa," gridò Garibaldo.
Si accomodò sui piedi della Democrazia cingendola
con un braccio, per non cadere. S'era fatto un grande si-
lenzio. Il monumento era un terreno franco, confine fra
la folla e le file dei poliziotti.

"Meno male che siete venuta," disse Asmara. "Sta-
notte è successa una cosa strana."
Raccontò la cosa alla Zelmira mentre mescolava le
uova e la farina nella zuppiera. La Zelmira non disse
niente:
"Sarà un avvertimento?" azzardò Asmara.
"Non è successo solo a casa tua," disse la Zelmira.
"Tutte le finestre sulla piazza hanno fatto lo stesso.
Certune sono riuscite a liberarsi dai cardini e son ca-
dute per strada."
"Cosa vorrà dire?" chiese Asmara.
"Può voler dire tante cose," masticarono le gengive della Zelmira. "Non mi far ripensare a quello che
mi disse don Milvio."
"E Mangiaghiaia?" chiese Asmara.
La Zelmira era andata a vederlo. La friulana lo
aveva preso in braccio come se fosse un bambino e lo
aveva adagiato su un canapé, perché muoverlo per
portarlo in camera era pericoloso. Macinava coi denti
il puzzo dell'aceto con cui lo avevano medicato. Ma
era una contrazione dei muscoli facciali, aveva detto il
dottore, che non si responsabilizzava di farlo ricovera-
re all'ospedale, non arriva vivo, tanto vale tenerlo qui.
"Gli hanno fracassato il cervello," rispose la Zelmira. Si sedette su una seggiola bassa, come faceva

sempre, e chiuse gli occhi navigando nella risacca della sua vecchiaia. Asmara si girò per piangere.

"Che compleanno triste per Garibaldo. Ieri quando me lo sono visto apparire sulla soglia gli avevo promesso un dolce."

Il questore diede degli ordini a dei subalterni che gli stavano vicini, e ammiccò Garibaldo con un cenno del capo. Ma ora la folla si era fatta avanti e circondava il piedistallo. Non si poteva tirarlo giù, bisognava caricare.

"E tu burattinaio," gridò Garibaldo, "levati cotesta fascia di sul petto, che non rappresenti nessuna Italia, rappresenti soltanto i tuoi padroni!"

Si tolse il cappello e lo mise in capo alla Democrazia.

"Il Guidone," disse Garibaldo, "è in agonia con la testa aperta come un cocomero."

Il silenzio si fece livido.

"Lo hanno fracassato di botte, e ora ci vorrebbero dare il contentino. Due lire in più, agli schiavi, se fanno i buoni, e si mette una pietra su quello che è successo."

"Stava sulla soglia con una rosa in mano e si era tolto il cappello," continuò l'Asmara. Ormai raccontava a se stessa, parlando in dentro, perché la Zelmira si era spersa negli abissi della sua vecchiaia. "E mi fa: posso entrare? Garibaldo, faccio io, sei libero? Da oggi, dice lui. Mi è venuto di abbracciarlo come se fosse stato morto. Giusto in tempo per il tuo compleanno, dico io. Ti preparerò una torta di quelle che ti facevo una volta. Ah, domani è il mio compleanno, fa lui. Me ne ero scordato."

"E ora vorrebbero comprarci per quattro lire," gridò Garibaldo. "Ma la morte non si compra!"

La Zelmira risalì alla superficie della realtà.

"Quanti anni ha?" masticò.

"Sessanta," rispose Asmara. E mentre lo diceva capì tutto. Ritornò a una sera di tanti anni prima, piegata davanti a una scodella, ad osservare terrorizzata la semola che spinta da un soffio inesistente formava un cono con un buco nel mezzo. Trenta, più trenta per il figlio cui aveva rinunciato. Allora, spinta dalla certezza, si slanciò fuori di corsa asciugandosi le mani al grembiule che aveva due enormi fragole ricamate sulle tasche. Perse una ciabatta sul cancello e per non fermarsi a infilarla buttò via anche l'altra con un calcio.

"Questa, compagni, è l'unica risposta!" gridò Garibaldo.

Asmara sbucò in fondo alla piazza e venne avanti correndo. Faceva ampi cenni con le braccia, disperata.

"Garibaldo!" gridò. "Garibaldo, oggi hai sessant'anni!"

Se Garibaldo la vide e capì come lei aveva capito che il suo oroscopo si stava compiendo in quel preciso istante, nessuno può dirlo. In quel momento si sentì uno sparo. Uno solo. Garibaldo sciolse l'abbraccio della statua e lentamente si girò su se stesso. Aprì il pugno alzato e il sasso rotolò sulla piazza. Mentre gli andava dietro gorgogliò qualcosa, ma lo udirono in pochi.

APPENDICE

Il segreto della Zelmira

La Zelmira era tornata sui suoi passi con le spalle curve, come se portasse un gran peso. Le donne l'avevano circondata.

"Che ti ha detto?" avevano chiesto le donne.

"Niente, non ha detto niente."

"Ma se ci hai parlato mezz'ora, e facevi un mucchio di gesti!"

"Eh!" aveva detto la Zelmira.

Da quel giorno le spalle le si erano curvate sempre di più, ma a tutti, quando le chiedevano cosa aveva detto don Milvio, rispondeva:

"Eh".

E così per anni, senza che rivelasse niente a nessuno, nemmeno al vescovo che l'aveva fatta chiamare e l'aveva blandita promettendo un vitalizio: "Per ora piccolino, date le circostanze, ma col tempo...".

"Perché non glielo andate a chiedere da voi," si era intestardita la Zelmira. "Basta andare alla grotta e chiamarlo: 'Scrocci, o Scrocciii!'. E lui risponde, e se gli va lo ripete."

Quando arrivò in punto di morte, oltre la fine di questa storia, inaspettatamente cambiò opinione e chiese del nuovo curato. C'era anche un monsignore che le faceva la posta da un giorno e una notte, alloggiato alla pensione appena si era sparsa la voce che era in agonia. Finalmente la Zelmira si decise e chiamò:

"Voglio rivelare cosa mi disse don Milvio".

Il curato avvicinò l'orecchio al rantolo. Il monsignore, prudente, si teneva nell'ombra della camera. C'erano precise disposizioni della curia di non far raccogliere ad estranei il segreto della Zelmira. Ormai si era fatta una fola sullo Scrocci e le dicerie screditavano la Santa Sede.

"Coraggio," fece il curato.

Anche il monsignore non seppe controllarsi:

"Allora, allora?".

"Don Milvio..." la Zelmira si sollevò sui gomiti e girò gli occhi smarriti per la stanza. "Don Milvio..."

Pareva che non ce la facesse, il fiato la strozzava con un gorgoglio. Poi di getto, come se sputasse l'impedimento che le ostruiva la gola, rantolò:

"Don Milvio mi disse che l'uguaglianza non si ottiene con le macchine idrauliche".

INDICE

7   *Nota alla seconda edizione*

9   EPILOGO
S'è sciolto il fiocco, 11.

13   PRIMO TEMPO
1. C'è ancora un po' di tempo, 15. - 2. Si cambia padrone, 16. - 3. Borgo, soltanto, 17. - 4. Qui si fa l'Italia o si muore, 18. - 5. Due nomi come un viaggio, 19. - 6. Una stretta camicia rossa, 19. - 7. Rispettosi saluti, 21. - 8. Si vuota un posto a tavola, 21. - 9. Figure sulla cenere, 22. - 10. Una lapide, 23. - 11. Infanzia, 24. - 12. La paura altrui, 24. - 13. Gli occhi belli della fame, 25. - 14. Il Mal del Tempo, 25. - 15. Esperia, 26. - 16. Per gioco, 27. - 17. Come suo padre, 28. - 18. Africa 28. - 19. Beduino, 29. - 20. Reti lunghissime di distrazione, 29. - 21. Improvvisamente troppo bella, 30. - 22. Una croce di ferro, 31. - 23. Vocazione, 32. - 24. La vita di sant'Orsola, 33. - 25. Parigi, cieli bigi, 35. - 26. Il meno brutto dei tre re magi, 36. - 27. Dieci anni per un orologio, 39. - 28. Per amore retroattivo, 42. - 29. La macchina idraulica dell'uguaglianza, 44. - 30. Ufficialmente alle sette di sera, 47.

49   SECONDO TEMPO
1. La sete di Melchiorre, 51. - 2. Cinque Imberti in un anno, 54. - 3. La carezza del re, 55. - 4. Sciroppi di menta ai Bagni Margherita, 56. - 5. Un libro pieno di papi in fiamme, 57. - 6. Troppo poca acqua, in Libia, 59. - 7. Gesù nel bicchiere, 59. - 8. Matrice di bellezza, 60. - 9. L'armata se ne va, 60. - 10. Dal fronte al fronte, 62. - 11. Sfortuna nei piedi, 62. - 12. Il Vangelo secondo don Milvio, 64. - 13.

Sperare è gratis, 65. - 14. Una camelia nei capelli, 67. - 15. Un baule pieno di lenzuola, 68. - 16. Los Hermanos Montero, 69. - 17. Si recita a soggetto, 70. - 18. Dieci lire liquide e un pappagallo, 70. - 19. C'è speranza nell'Argentina, 72. - 20. A Carrara con la pece sul culo, 73. - 21. Dieci fiammelle celesti, 75. - 22. Uno due gran gran, 76. - 23. Non per paura ma per parentela, 78. - 24. Il lichene della Regina Luana, 79. - 25. Te pienso y te quiero, 82. - 26. Un po' di mare, 82. - 27. Tre oroscopi per due, 83. - 28. La bocca piena di ghiaia, 84. - 29. Forse Cabiria, 85. - 30. Le fiammelle si spengono, 86. - 31. Due bauli di lenzuola, 86. - 32. Un altro cambio, 89. - 33. Un impero sui francobolli, 89. - 34. Guadalajara, 91. - 35. Ci vuole volontà, 92. - 36. La carità non avrà mai fine, 93. - 37. Un crac d'addio, 94. - 38. Cento copie, 95. - 39. Si apre con una farsa tragica, 97. - 40. Conta più la causa della fidanzata, 98. - 41. Un cappello sulla porta, 99. - 42. Pane e frittata, 100. - 43. Cinquanta chili, 102. - 44. Un giorno d'erba, 104. - 45. Angustia e volontà fanno la donna sterile, 106. - 46. Si strugge la campana, 107. - 47. Migrazione, 109. - 48. La quarta sponda, 109. - 49. E in un giorno la guerra finì, 112. - 50. Per dispetto o per vecchiaia, 112. - 51. L'infallibilità del papa non è più un dogma, 115.

119   TERZO TEMPO

1. Lingua zerga, 121. - 2. La Todde, 124. - 3. Cosa vuol dire un vitalizio?, 126. - 4. L'Organzina fa sudare, 127. - 5. Un'idea di Mangiaghiaia, 129. - 6. Una storia e un cappone, 131. - 7. Chi c'è e chi non c'è, 132. - 8. Mezza lettera di piombo, 132. - 9. Cineteatro Splendor, 135. - 10. Ristorante Le Vincenzine, 135. - 11. Un nome per Borgo, 137. - 12. La legge del menga, 138. - 13. Una proposta, 139. - 14. Le finestre sulla piazza, 141. - 15. La morte non si compra, 143.

147   APPENDICE

Il segreto della Zelmira, 149.

Stampa Grafica Sipiel - Milano, gennaio 2007